한번에 10권 플랫폼 독서법 : 원하는 지식을 얻는 가장 빠른 방법

一次讀10本書的
串聯閱讀法

韓國頂尖閱讀天才教你10倍高效的極速閱讀攻略，
幫你創造財富、改變世界、扭轉命運

眾所矚目的韓國閱讀法《高效率量子閱讀法》作者 金炳完（김병완）／著 林侑毅／譯

目錄

第3章 讓解決問題的能力效果加成

目錄

第4章 資訊爆炸時代，高效率閱讀是必備技能

第5章 練好閱讀基本功的集大成

第6章 閱讀法革命，勢在必行

目錄

好評推薦

「資訊爆炸的時代，我們更需要系統化的深度學習。如何在花許多時間看完書後，確實把知識留在腦內呢？作者分享的『串聯閱讀法』打破傳統方法，讓你更有效率的消化文字，告別慢吞吞和記不住的問題。」

——余玥（冏冏），作家、播客

「相當認同作者的理念——閱讀是為了改變人生！此書所倡導的閱讀法，也是我每年閱讀一千本書所使用的方法，極力推薦給每一位想要提高閱讀的質、量，以及希冀透過閱讀活出更好人生的人一起來學習！」

——愛瑞克，《內在原力》作者、TMBA共同創辦人

「從理解與習得，轉變為活用與再造的閱讀思維，讓我對閱讀這件事完全改觀。串聯閱讀法，是成為領域專家與終生學習的最佳閱讀方式。」

——劉奕酉，鉑澈行銷顧問策略長

前言
跳脫傻瓜閱讀法，我三年讀一萬本書

這本書始於一個疑問。

「該怎麼做，才能在短時間內讀完大量書籍呢？」

為了找出這個問題的解答，我十年來讀完上萬本書，向五千多位成人傳授閱讀方法，也寫了數十本關於閱讀法的書籍。現在，我想已經差不多找到解答了。

在尋找答案的過程中，我心裡經常會有這些疑問：

「為什麼許多人無法透過閱讀，快速提升知識？」

「為什麼讀者讀再多的書，某本書的知識也無法信手拈來？」

「為什麼閱讀量相同，有的人一輩子無法產出好內容，有的人卻能持續創造新的內容，不斷寫出新書？」

「明明讀同一本書，為什麼有些人可以成為專家或權威，有些人卻沒有任何成長？」

「為什麼有些人即使閱讀，人生依然一成不變。相同的閱讀量，卻有人能因此改變人生？」

「為什麼生活在人工智慧的時代，我們還在用舊時代的方法閱讀？」

「文明與技術持續改革創新，為什麼閱讀技巧卻沒有比一百年前更進步？」

「有沒有比過去『閱讀、思考、提問、討論』的傳統閱讀技巧更先進的閱讀方法？」

在探索閱讀法與閱讀方式的過程中，我自然而然遇見了許多閱讀大師。儘管他們被冠上「書呆子」、「讀書狂」、「閱讀天才」等稱號，在閱讀量、閱讀能力與知識獲取的規模方面，他們的確是一般人望塵莫及的思想巨人。本書尤其想討論愛迪生、韓國朝鮮時代思想家丁若鏞*、美國作家賀佛爾（Eric Hoffer）、股神巴菲特、美國哲學家莫提默・艾德勒（Mortimer Adler）、微軟創辦人比爾・蓋茲、蘋果創辦人賈伯斯與特斯拉（Tesla）執行長馬斯克等人。

看著他們的閱讀經歷，我心裡不禁出現一連串的疑問：

「比爾・蓋茲是怎麼讀遍圖書館裡的所有書？」

「馬斯克是怎麼讀完一萬本書的？」

「巴菲特是怎麼在十六歲幾乎讀遍所有和投資相關的書？」

「賈伯斯如何做到觸類旁通的閱讀？」

「賀佛爾是怎麼一邊過著艱苦的勞工生活，一邊達到閱讀量的激增與知識的躍升，成為名副其實的哲學家？」

---

*一七六二～一八三六年，韓國朝鮮時代著名儒學者、思想家。

「沒有受過完整的正規教育，甚至被視為智能障礙的愛迪生，是怎麼讀遍底特律圖書館的書？」

「美國之父班傑明．富蘭克林（Benjamin Franklin）、丁若鏞、達文西、愛迪生等人，是如何透過書本成為跨領域專家？」

「比爾．蓋茲、賈伯斯、馬斯克特別喜歡讀百科全書的原因是什麼？」

同時，我迎來了人生的重要時刻。為了解開這些疑問，我開始大量閱讀，才發現問題的方向在不知不覺間改變。一開始我好奇的是這些閱讀大師涉獵的書籍數量、閱讀速度和鍛鍊閱讀能力的方法，然而經過一段時間，我發現，在反覆思索這些疑問的同時，自己試圖找出閱讀大師如何一步步改革閱讀方法。

我從對數量、理論的追尋，試圖找出能在短時間內閱讀更多書的特別方法，轉向探詢本質：完整閱讀、消化完一本書的意思是什麼？閱讀方法和內在成長有什麼關係？閱讀的質量轉換是以什麼型態出現？

經過反覆的研究，我檢視各種具體的閱讀方法，並分析在歷史上留下重要成就的偉大知識分子擁有哪些祕訣。在這樣的努力下，最終又回歸到一個問題：

「有沒有一種終極的閱讀方法，可以串聯世界上浩瀚無垠的書籍，融合書中蘊含的知識，並創造出對人類與人類生命有價值的產物？」

這個問題的解答，正是本書要講述的「串聯閱讀法」，至於如何落實，以及讀者可以藉此獲得的一切有形或無形的創造式成就，我稱之為「創建知識平台的閱讀革命」。

串聯閱讀法，或稱為「平台閱讀法」（Platform Reading），是我首度命名的閱讀技巧，也是前文提及的多位偉大閱讀天才實踐和運用的閱讀技巧。多虧這項閱讀技巧，我得以在三年內讀完一萬本書。

改變的目標不是人，而是閱讀技巧、閱讀方式和閱讀法，這點必須先解釋清楚。

向閱讀大師學習

前文提到的人物，都是活用平台的閱讀大師，他們沒有學過速讀法或量子閱讀法這類追求大量閱讀的閱讀方法，那他們是如何在短時間內快速提高閱讀能力與閱讀量的呢？能達到大量閱讀的祕訣是什麼？

本書是第一本閱讀研究報告，研究以閱讀活出偉大人生的名人，以及今日也依然如此生活的人，揭開他們的閱讀技巧。透過本書，你將會明白比爾・蓋茲、賈伯斯、馬斯克，三位驚人的閱讀天才能博覽群書且熱愛閱讀百科全書，正是串聯閱讀法帶來的結果。

一天提高十倍閱讀力

串聯閱讀法不僅能翻轉一鼓作氣、一字不漏的傻瓜閱讀技巧，也能在一天內提高十倍閱讀能力，與「量子閱讀法」或「抄寫閱讀法」不同，即使不了解量子閱讀法或抄寫閱讀法，也能掌握這項閱讀技巧。不過兩者皆為串聯閱讀法的基礎，特別是抄寫閱讀法。因為抄寫閱讀法是最適合追求高品質閱讀的方法，而量子閱讀法是最適合大量閱讀的方法，**串聯閱讀法追求的不是閱讀的質與量，而是超越質與量的更高層次。**

也就是說，熟悉量子閱讀法和抄寫閱讀法的人，能更迅速、有效使用與駕馭串聯閱讀法。在此，我也事先說明，串聯閱讀法與我在前作中所介紹的量子閱讀法和抄寫閱讀法無關，是閱讀高手才知道的高效閱讀技巧。

如何成為閱讀天才？

即使結合抄寫閱讀法和量子閱讀法的長處，也難以對抗串聯閱讀法，可見這是相當強大的閱讀技巧，因此閱讀天才不必學習或訓練特定閱讀法，就能達到海量閱讀。如今，我也發現，自己竟然因此在三年內讀完一萬本書。

不少人問我：「你是怎麼在三年內讀完一萬本書的？」目前為止，我還沒有正面回答這個問題。坦白說，我也不清楚原因是什麼。「我只是運氣好。只是比別人更瘋狂地看書。」一模稜兩可的回答，似乎就是最好的回應。

為了解答這些疑問，我已經出版幾本與閱讀法相關的著作，其中有幾本銷售超過十萬本，我也成為有五千人修讀的閱讀法課程講師。

儘管如此，在我心中依然有個疑問：「為什麼某些閱讀天才、大師，從未學過閱讀法或速讀法，卻還是能讀完數量如此龐大的書籍？」其中的關鍵就在於閱讀的方法，具體來說，是落實閱讀的方法。

這本書將告訴你，前文提到的閱讀大師究竟以什麼方式閱讀。

擺脫傳統形式，打造閱讀平台

從現在起，我會與大家分享能在短時間內快速提升閱讀能力與閱讀量，甚至提升十倍效果的串聯閱讀法，說明原理與落實的方式。帶你跳脫一本接一本閱讀的傳統漸進式、個別式、單一式閱讀技巧，以一個主題、構想或領域為核心，同時或連續閱讀多本書籍，並相互串聯，建構出一個特定主題或知識的巨大平台，堪稱「整合式閱讀革命」。

如果說過去閱讀的形式是閱讀、思考、提問與討論，**串聯閱讀法的創新形式**，便是**閱讀、串聯、整合與建構**，其中原理也可以用「網路效應」*（network effect）、「梅

* 使用這項功能的人越多，這項功能就越有價值。

特卡夫定律」*（Metcalfe's Law）或非線性†成長（non-linear growth）等名詞來說明。

具體的做法，是同時閱讀關於一個主題或類似主題的多本書籍，並尋找彼此間的關聯，再根據關聯來建構特定主題的平台，此種方式不同於單純的並列閱讀或同時閱讀，需要尋找多本書的關聯，一旦建立起平台，就有助於通讀類似主題的大量書籍，效果有如真空吸塵器瞬間吸入灰塵。

串聯閱讀法並非盲目地大量閱讀，即使只讀一本書，也能讀得更有效率、更有創造力。閱讀天才擺脫傳統閱讀形式的束縛，持續採用建構平台的閱讀法。

串聯閱讀法是如何在短時間內提高閱讀能力與閱讀量達十倍以上呢？其中的原理是什麼？本書第 4 章會詳細說明，這裡先以其中一個原理來解釋。

建立問題解決方案的介面

哈佛大學馬可·顏西提（Marco Iansiti）教授定義的「平台」，意指成員透過各種接觸點與介面，所能達成的問題解決方案的集合。在此定義中，最重要的關鍵字是「介面」與「問題解決方案」。

火車站月台或機場都算是一種平台，藉由機場或火車站月台，乘客可以前往想去的地方，這就是一種「問題解決方案」。試想機場、火車站月台在火星或月亮上，會怎麼樣呢？平台必須讓所有人都能輕易抵達和運用，也就是說，介面必須簡單又容易使用。

在尼泊爾與西藏之間的邊界，有座高達八千八百四十九公尺，為世界最高峰的聖母峰。直到一九八七年為止，每年有數百名至數千名登山客挑戰登頂，然而成功登頂的人不過三、四人，可是從一九八八年起，每年有數十名至數百名登山客登頂成功。為什麼

* 網路的價值與發展間的定律。網路的價值會根據用戶數量和規模呈指數成長。
† 變數間的關係不是簡單比例的直線，而是曲線或曲面。

人們的登頂能力與成功率，一年間提高了十倍以上呢？

在一九八七年之前，登山客營地大多駐紮在海拔兩千公尺至三千公尺之間，多數人從未懷疑過背後的原因，繼續在這個高度紮營。在一九八八年，一位勇敢的革命家選擇在六千公尺處紮營，其他登山客見此也紛紛仿效。當營地駐紮在六千公尺處後，一切有所轉變。

如今登山客只要從六千公尺出發，再爬兩千八百四十九公尺即可登頂，而過去必須從二至三千公尺出發，爬五千八百四十九至六千八百四十九公尺才能登頂，距離是現在的兩倍之多。

距離縮短兩倍以上，不只是物理距離的縮短。山頂的氣候變化與平地截然不同，所以從六千公尺和從三千公尺處登頂，兩者的差別天差地遠。

登山客選擇在六千公尺處紮營，是建構平台的絕佳範例，不僅是登頂聖母峰的最高效問題解決方案，也象徵著只要下定決心，任何人都可能挑戰成功的最佳「介面」。

運用串聯閱讀法能使閱讀能力與閱讀量在一夕之間成長十倍以上，正是因為此閱讀法將閱讀的營地駐紮在六千公尺處。

不做閱讀奴隸，而是成為書本的主人

想要徹底學好串聯閱讀法，不能單憑熟讀理論，更重要的是如何落實。本書的第2章與第7章，將會介紹串聯閱讀法大師們的實際案例，讀者將可學到愛迪生、巴菲特、比爾·蓋茲、馬斯克、賀佛爾、賈伯斯等成功人士的閱讀技巧。

偉大的閱讀天才不是書本的奴隸，而是成為書本的主人。不是為了閱讀而閱讀，而是為了成功與成長而閱讀。

我還想交代一點，這本書介紹的串聯閱讀法並非萬靈丹，也不是絕對無敵的閱讀法，只要是愛好閱讀的人，隨時都能創造更有效的閱讀法，我也真心希望有更多閱讀法推陳出新，彼此相互影響並發展得更好。

第 1 章

戒掉錯誤的閱讀習慣，人生大不同

「讀得太快或太慢，什麼也讀不懂。」

——巴斯卡（Blaise Pascal），法國數學家、

物理學家、神學家兼哲學家

01 為什麼有閱讀，卻沒有一本書派上用場？

為什麼同樣是閱讀，有些人連一本書都寫不出來，有些人不過讀了幾本書，卻能輕輕鬆鬆寫書、創作，一躍成為暢銷書作家？為什麼明明閱讀量幾乎相同，可是某個人過著一成不變的生活，另一個人卻從讀者晉升為作家？

其實，造成差異的是「如何閱讀」、「以什麼樣的技巧閱讀」。有些人說他們一輩子讀了不計其數的書，但是為什麼寫不出任何書？然而寫出書的人，尤其是暢銷書作家，智商或能力，其實也沒有比一般人突出。

相較於不讀書的人生，閱讀且樂在其中的人生，才更幸福，因為閱讀是生而為人才能行使的特權，即使終生樂於閱讀卻沒有寫出任何一本書，也沒有錯。

如果閱讀的目的是為了滿足個人興趣，那麼維持目前的閱讀習慣，享受閱讀到老，也不是壞事。然而，許多人之所以耗費大量精力與時間閱讀，背後存在各種原因，其中一種是為了開發自我，活出成功、幸福的人生，過上更美好的生活。

對於帶著此目的的閱讀的人來說，最棒的閱讀成就，不就是脫離讀者身分，躋身作家之列嗎？但事實上，真正成功晉升作家，完成閱讀終極目標的讀者，卻是少之又少。閱讀的效果如此天差地遠，原因在於每個人的閱讀技巧各不相同。

在正式介紹閱讀法之前，追溯閱讀法的起源，應該有一定的意義與幫助。

過去，由於書籍的數量有限，對閱讀法的需求不如今日迫切，最早只能追溯到希臘文學最興盛的西元前三五〇年左右，從古希臘演說家狄摩西尼（Demosthenes）的學習法中，發現類似閱讀法的蹤影。他認為，閱讀的目的在於，提升知識與發展智力，以反覆熟讀、默背的方式閱讀同一本書，無暇兼顧其他書本。

可以確定的是，在印刷機發明前，閱讀法的必要性相當低。在書籍數量相當少，甚至是貴族也難以接觸到書籍的時代，最常見的閱讀法自然是反覆閱讀、背誦好不容易到手的書。然而時代已經不同，今日書籍數量多得驚人，閱讀的技巧也應該有所改變。

閱讀分成兩種，你想用哪種？

艾德勒在閱讀法經典《如何閱讀一本書》（*How To Read A Book*）中，將閱讀的目的分為知識導向閱讀與理解導向閱讀，至今仍有許多讀者遵循這一套閱讀方式，進行知識導向或理解導向的閱讀。然而期待透過閱讀改變人生的讀者，卻不是以此方式閱讀。比爾．蓋茲、賈伯斯、馬斯克、巴菲特等閱讀天才，都是以異於常人的技巧來閱讀，這正是本書所要談論的閱讀技巧。

閱讀分為兩種：

1. 透過閱讀改變人生的閱讀。
2. 無論再怎麼閱讀，也改變不了人生的閱讀。

為什麼怎麼閱讀，閱讀前後依然沒有不同，人生也沒有改變呢？會造成這種差異，關鍵在於落實閱讀的方法，也就是「閱讀法」。

比起只追求閱讀量而囫圇吞棗的人，**採用最有效、最有系統、有策略的閱讀方式的人，即使只讀一本書，也有更大的機率改變人生。**

大量閱讀卻無法改變人生，這種閱讀不過是傳統的知識與理解。藉由閱讀改變人生的人或是前文提到的閱讀天才，都已經跳脫知識與理解導向的閱讀，進入更高的層次。

02 超越只為讀而讀，實現改變人生的閱讀

像閱讀天才一樣閱讀，改變人生和世界

終生學習的人是了不起的人，更了不起的是透過學習超越自我的人。

為了追求更好的學業表現而閱讀並非壞事，不過既然開始閱讀，挑戰更大的目標、更傑出的成就，不是更好嗎？你想要的是更會讀書、只為學習的閱讀？還是超越學習、更高層次的閱讀？

比爾．蓋茲從哈佛大學退學、谷歌（Google）創辦人賴利．佩吉（Larry Page）研究所休學、賈伯斯和祖克柏也中斷了學業，他們超越了只為學習的學習，實現了改變人

生的學習，最終創造出超越學習的成就。

一般閱讀的目的在於，獲得知識、理解內容。至今，大部分的讀者仍以一般的方式閱讀。閱讀本書的你，又用什麼樣的方式閱讀呢？是一般的閱讀方式，還是像比爾·蓋茲、賈伯斯、馬斯克一樣，進行改變人生、改變世界的閱讀呢？當然，成功的閱讀無法一蹴可幾，不過後者的閱讀方式，不一定比前者更辛苦、更困難。許多閱讀天才透過自己的人生證明，那樣的閱讀反而是更有趣、更快樂的閱讀。

避免成為閱讀的奴隸

必須盡快丟棄「書只要拿來看就好」的想法，如果你的閱讀目的是看看書就已滿足，倒是沒有關係，若你希望透過閱讀自我成長，並過上更好的生活，那麼不應該盲目閱讀。比起讀了幾本書，更重要的是「如何閱讀」的閱讀方法，**改變人生的關鍵，不在**

於閱讀習慣或閱讀量，而是有效的閱讀技巧，相信這一點再怎麼強調也不為過。

閱讀是相當重要且富有意義的行為，只追求大量閱讀，卻沒有任何改變或成長，還稱得上是真正的閱讀嗎？即使你讀了一萬本書，也沒有必要向別人炫耀，為了炫耀而閱讀，人生也不會有任何改變。

如果你讀完一萬本書，人生依然沒有改變或成長，那和只會念書的傻瓜沒有兩樣，直白地說，那無異於閱讀的奴隸。

當然，閱讀沒有正確答案，有人喜歡慢讀，花一整年的時間讀完一本書，有人偏好速讀法，五分鐘可以讀完一本書。無論你喜歡哪一種閱讀法都沒有關係，**只要根據閱讀的目的選擇閱讀方法，並真正落實即可**。希望改變人生，謀求變化與成長的人，卻一輩子在進行毫無幫助的閱讀，這才是最大的問題。

03 時代在變，閱讀技巧也要跟著變

與一百年前相比，現今社會可以說是知識與技術大爆炸的時代。

相信各位讀者都明白，技術不斷推陳出新，僅僅幾年，發展瞬息萬變、日新月異。五十年前，世界上還不存在網路，二十年前的手機相當笨重，價格還貴得離譜。現在人們只靠隨身攜帶的手機，就能和地球彼岸的人即時視訊。

然而，無論是一百年前還是現在，閱讀技巧未曾發生改變，現代人的閱讀能力或閱讀量，反倒不如一百年前。隨著網路與智慧型手機的普及，越來越多人沉迷於最先進的遊戲，使人們的大腦變成「遊戲腦」，阻礙閱讀。

我想說的重點是，閱讀技巧從一百年前到現在，幾乎沒有任何改變。為什麼閱讀技巧一成不變？我認為，其中的原因在於缺乏有志改善閱讀技巧的人，人們也缺乏改變的意志。坦白說，即使耗費一輩子發展閱讀技巧，也得不到任何報酬或名聲，如此一來，追求有效閱讀技巧的意志也不可能存在。要是有頒獎或獎助機制，鼓勵發明出最佳閱讀技巧或高效閱讀法的人，相信閱讀技巧的發展肯定無可限量。

不必一字不漏從頭讀到尾

紐約有一間全球數一數二的公共圖書館——紐約公共圖書館（New York Public Library）收藏多達三千八百萬本書籍。在中世紀，整個歐洲加起來不超過三萬本書，如今有千萬本以上的書籍收藏於圖書館中，閱讀技巧也應該順應時代的變化有所改變吧？過去取得一本書並不容易，所以到手的書籍必定從頭到尾默背下來。在當時即使是大學教授，借過一次的書恐怕有生之年都很難再借到第二次。

但是今非昔比，身處資訊過剩、知識大爆炸的時代，沒有必要堅持像一百年前一樣，以一本接著一本的傳統閱讀方式按部就班地閱讀。閱讀技巧應該隨著時代和環境的改變而有所不同，才是自然的發展。我們必須跳脫一本接著一本的閱讀方式，用更有策略的方式同時閱讀多本書籍。

身處人工智慧的時代，我們還要堅持古代的閱讀方式到什麼時候呢？**新的閱讀技巧不僅有顯著的效果，帶來的樂趣也不同以往，就像玩遊戲或猜謎般有趣，所以也稱為「快樂閱讀」或「遊戲閱讀」**。跳脫無趣、靜態、嚴肅的閱讀，不必從頭到尾一字不漏地精讀一本書，而是以趣味、刺激又充滿活力的方式閱讀，彷彿在玩遊戲或是在美術課製作作品般。

放下「好學生情節」，才能蛻變成天才

有關閱讀法的刻板印象中，危害最大的是從頭到尾一字不漏閱讀的「好學生情

結」，這是我新創的詞。在我們的潛意識中，存在著「閱讀必須從頭到尾一字不漏」的想法，以為這樣閱讀才是好讀者，甚至成為可以被稱讚的好學生，唯有脫離刻板印象的人，才能蛻變為傑出的閱讀天才，透過閱讀改變人生。

除此之外，也應該放下「推薦書籍不可不讀」的想法，比爾．蓋茲、賈伯斯或馬斯克等人喜歡閱讀百科全書，而不是推薦書籍。愛迪生和毛澤東，甚至讀遍圖書館的藏書。

還有一個折磨讀者的刻板印象：整本書的內容必須一次全部理解的完美主義。某些書讀一遍就能吸收，但某些可以學到不少新知，並給人極大啟發的書籍，或是較困難的經濟管理、哲學類書籍，只讀一遍是不夠的，至少要讀三遍以上，也要隨時反覆閱讀。

當然，每本書的情況不同，只要是你喜歡的書，或是想從中學到更多的書，就必須丟棄「一次理解全部內容」的想法。

韓國有句玩笑話：「吃掉大象的唯一辦法，就是一次咬一口。」可是請記住，閱讀絕對不是大象，我們有辦法同時閱讀多本書籍，所以丟掉刻板印象吧！

不必太在意其他人的閱讀技巧或習慣，你是你，別人是別人，多方嘗試與運用各種閱讀法，找出對自己效果最好的方法，才是最重要的。

沒有一本書是對人生完全沒有幫助的，書本是否有用處，端看你是否有創造價值的能力，也等同於你是否擁有創建平台的閱讀能力。

希望各位讀者立刻放下束縛你、對你有害，且不必要的刻板印象或閱讀偏見，不受外界的影響，真心享受自由的閱讀。

04 跳脫個人局限，活用大師的思路和知識

眾多閱讀專家異口同聲提倡一種閱讀法：「無論閱讀什麼書，都要主動思考、提問。」這句話說得很好，的確是非常了不起的閱讀法。

但是本書所介紹的閱讀天才，使用的方法和思考、提問的閱讀法頗為不同。他們運用的正是**串聯與建構，產出大數據的閱讀法，正是串聯閱讀法的核心原理**。

串聯閱讀法比思考、提問閱讀法更好的原因是什麼？思考、提問確實是比單純閱讀還出色的閱讀方法，強調自發提出問題，並且對問題進行思考、琢磨與探索，透過一連串的過程，不僅能提高思考能力，也能獲得更理想的答案。但是思考、提問閱讀法存在一定的局限，因為人們難以跳脫自己的思維水準和知識範圍。

不過，串聯閱讀法不同，**個人的程度和知識範圍不會造成太大的影響，能大幅擺脫**

思維水準和知識範圍，不僅能如探險家尋找寶物般趣味無窮，也能活用世界頂尖大師的思考能力與知識。

蛻變成閱讀天才的閱讀之路

思考、提問的閱讀方式，確實是不錯的閱讀法。不過世界上還存在著各式各樣的閱讀法，選擇權在各位讀者的手上，只要貫徹你所選擇的閱讀法，好好享受閱讀就好。

其實，新手讀者對於思考、提問閱讀法備感壓力，也覺得讀完一整本書無比痛苦，所以運用思考、提問閱讀法的讀者，多是閱讀程度爐火純青的高階讀者。

想要獲得更敏銳的洞察力，思考、提問閱讀法確實是不錯的方法，不過也像倉鼠在轉輪上繞圈一樣，沒人保證能跳脫個人的思維和知識局限，進入更深層的剖析，直接地說，不過是在個人有限的程度上打轉而已。

愛因斯坦儘管已經是人類歷史上最傑出的科學家，他依然投入大量時間在某一道問題上，以求獲得更高水準的洞見。偉大的科學家還是需要耗費大量時間與精力，才能獲得超越個人思維水準的解答，更何況是一般人，還需要維持生計，不可能投入如此大量的時間與精力。

世界上不存在沒有用處的閱讀，也沒有派不上用場的閱讀，但是一定有效果更好、更強、更有趣、更有創意、更革命式的閱讀法。要是至今還沒發現或沒人告訴你，有些閱讀技巧能立刻強化閱讀力，那就自己開創吧！希望從這一刻起，你能發現讓自己瞬間蛻變為閱讀天才的閱讀之路。

第 2 章

成功人士的閱讀法有什麼不一樣？

「讀破萬卷書，我心依然悲傷。」

——歌德（Johann Wolfgang von Goethe），

《浮士德》（*Faust*）作者

05 閱讀天才與一般讀者的三大差異

巴菲特、賀佛爾、丁若鏞、比爾·蓋茲、馬斯克、賈伯斯等閱讀天才，和我們有何不同？我研究這個問題十年，得出的結果正是本書的核心主題。

跳脫傳統的閱讀方式

包含我與各位在內的一般讀者，多是採用「閱讀、思考、提問、討論與記錄」的閱讀方式，然而閱讀天才不同，早已超越這種程度，從事層次更高的閱讀。**相較於「思考、提問、討論與記錄」的閱讀方式，更強調「串聯、建構、分享與創造」。**

二〇〇五年六月十二日，賈伯斯在美國史丹佛大學的畢業典禮演講中，將啟動、開始與努力的重要性，用「串聯點點滴滴」（connecting the dots）來形容。

閱讀天才的閱讀技巧與一般讀者有三大差異：

1. 他們皆採用串聯書籍的閱讀，並且特別喜愛讀百科全書。
2. 以自己感興趣的主題為核心，在閱讀過程中一步步建構知識平台。也就是說，他們的目的不在於「讀了幾本書」，而是「建立了多龐大的平台」，即使他們相當喜歡書本，然而書本只是工具，閱讀的目的並非喜歡書，而是圍繞自己關注的主題，建構巨大的知識與構想平台。
3. 他們都透過建構平台達到驚人的閱讀量，閱讀能力與閱讀量皆走上一條一般讀者望塵莫及的快速捷徑。

坦白說，建構一個自己擅長的閱讀平台非常辛苦且困難，不過只要閱讀平台建構到一定程度後，一切將變得不同，特別是層次會有所改變。差異相當於在三星擔任主管和基層員工，剛開始工作總是困難重重，薪水還少得可憐，忍耐十年、二十年後，不知不覺突破了臨界點，得到的薪水越來越優渥。同理，閱讀也是在突破某個臨界點後，猶如倒吃甘蔗，速度越來越快，能力也越來越強。

一般讀者大多是個別或單一地讀過一本又一本的書，但是這種方式即使讀了再多書，也幾乎不可能突破臨界點。懂得串聯書本，以一個主題為核心建構平台的閱讀大師，更容易突破臨界點，這也是各位必須學習與落實串聯閱讀法，採用平台建構模式閱讀的原因。

沒有主見，讀再多也沒用

丁若鏞主張，閱讀時一定要有個人主見，如果沒有主見，讀任何書都容易落入單純朗讀的行為，此種閱讀方式必定無法為自己帶來改變或成長。令人驚訝的是，丁若鏞二百多年前就透過抄寫的方法串聯書本、融會貫通和建構平台，也因此寫下超過五百本的豐富著作。

越來越多證據顯示，在同樣的環境與條件下，一個國家之所以能夠創造財富，治理占有非常重要的因素。

在相同的環境、時代和條件下，一個國家如何治理、以何種體制處理政事，將決定該國家成為富裕的國家，還是貧窮的國家。

一個國家的存亡深受統治方式與體制等因素的影響，同理，閱讀效果不會只受個人的智力與認知能力影響，用什麼方式閱讀、如何落實閱讀法，將會造成閱讀能力與閱讀量的極大差異。

整合式的閱讀法與建構平台的閱讀法正是其中的關鍵，串聯越廣泛，越能創造新的構想與知識，新的構想越多，將逐漸發酵、整合，越有機會引發新的改革與更多構想。

喜歡閱讀法書籍或對閱讀法有興趣的讀者，應該都知道艾德勒，他曾經在自己的著作中，將閱讀用「棒球比賽中捕手的接球」來比喻。投手丟出不同球路的球，有時球速快，有時球速慢，有時是變化球，有時是直球，不論投手丟出的球路是哪一種，都能接住的捕手，才是真正了不起的捕手。

同理，一個好的讀者，必須能閱讀各種類型的書籍。如果說過去的漸進式閱讀，是投手每投一顆球就依序接球的閱讀方式，串聯閱讀法可以理解成編織一張巨大的網子，一顆不漏地接住所有球，不只能應付一名投手，同時有數十名投手投球，也完全沒有問題。

06 啟發世界巨擘的百科全書

當代的閱讀天才比爾．蓋茲、賈伯斯和馬斯克，在閱讀方面有一個有趣的共通點：特別熱中閱讀百科全書。

比爾．蓋茲在八歲那年，便從頭到尾讀完《世界百科全書》（*The World Book Encyclopedia*）。這本百科全書有一萬七千則條目，收錄一千七百張表、十五萬個索引、六萬條參考資料、一千六百本推薦書目與二十二萬九千個單字。比爾．蓋茲彷彿將百科全書當作玩具般玩耍，享受著閱讀的樂趣。

賈伯斯熱愛閱讀百科全書，他曾在史丹佛大學演講，留下金句——求知若飢，虛心若愚（stay hungry, stay foolish），其實這句話最早並非源自賈伯斯，而是在他兒時讀過的百科全書封底出現的句子。

馬斯克也喜歡閱讀百科全書，每當有人問他：「您是從哪裡得到太空探索技術公司（SpaceX）的點子呢？」他總會這麼回答。

> 這是從我最喜歡讀的科幻小說和百科全書獲得的靈感。

正如他所說，他熱愛閱讀百科全書，從九歲開始，就已經反覆閱讀《大英百科全書》（*Encyclopædia Britannica*），幾乎是能倒背如流的程度（本書後半部將會提到愛迪生的閱讀方式，他也同樣熱愛閱讀百科全書）。

整合式閱讀法的好教材

聽完名人喜愛百科全書的描述，多數人大概不會放在心上，但是我並沒有聽過就忽略，反而試著提出問題：為什麼他們喜歡百科全書？不過我發現這個問題不是一個好問題。為什麼他們偏偏喜歡閱讀百科全書？這個提問才能真正得到解答。

經過一番思索，我得出個人的見解，原理正是本書的核心主題——建構閱讀平台的串聯閱讀法。

一般讀者多採用百年來流傳的傳統漸進式閱讀法，讀者對於這種閱讀方式，大多毫無懷疑或抗拒，從來沒有任何人提出質疑或反對，除了幾位閱讀先驅。他們選擇以截然不同的方式閱讀，並非採用一般讀者從未懷疑的傳統方法。

至今為止，多數讀者仍使用一本接一本閱讀的單一式、個別式和漸進式閱讀法，但比爾．蓋茲、賈伯斯與馬斯克採用串聯大量內容與主題的整合式閱讀法。對於喜愛整合式閱讀的他們而言，百科全書自然是最好的教材。本書第 6 章會針對此種超越特定主題，在閱讀過程中串聯不同內容的整合式閱讀法，有更深入的說明。

07 採用「串聯、建構與互動」

自閱讀行為出現以來，至今人們仍相信最基本的閱讀方式——閱讀、思考、提問與討論。這樣的觀念、想法與框架深深扎根在多數讀者的心中，所以沒有任何人提出異議，彷彿認定再也沒有其他閱讀法。

然而透過思考、提問與討論的閱讀，人們能獲得什麼呢？有時是正確的答案或解決辦法，有時能擴大和提升基礎思考能力。

人們熟知的閱讀天才，或是改變世界的成功人士，也是採用基本的閱讀方法嗎？本書中介紹的閱讀天才，並沒有進行思考、提問與討論的基本閱讀方法，我認為，他們運用的是在心中串聯、建構與互動的閱讀法。

第四次工業革命，使原本龐大的企業巨頭瞬間倒閉，蘋果、谷歌、臉書、亞馬遜等公司晉升世界頂尖 I T 企業，祕訣就在於建構平台。閱讀天才也如同這些公司一樣，採用建構平台的閱讀法。

從一維的線性閱讀晉升多維度

如果有種閱讀技巧，能跳脫思考、提問與討論的方式，來理解書本內容和習得知識，並以串聯、建構與互動的形式，建立一個超越書本內容，含有龐大知識與訊息、靈感與想法的平台。哪一種閱讀法對人生更有幫助呢？

肯定是後者的閱讀技巧效果更好。後者的層次完全不同，如果前者是一維的線性閱讀，後者就是四維以上的多維度閱讀法。

個人的想法、提問和回答，較為主觀，立場容易會偏頗，就像倉鼠在轉輪上跑一整天，也不會跑出轉輪般。要是能串聯和整合各種知識與構想，建構一個平台，就能徹底分析平台中的知識與構想，形塑更精闢的觀點。除此之外，還能透過各種想法與知識的碰撞，不斷激發新構想。營造這種環境，能使人輕易脫離偏頗、主觀的思考方式，進行更客觀、更高層次的思考。

本書所介紹的名人，之所以成為異於常人的發明家、傑出創造者或創新者，原因就在於此，也是平台閱讀所創造出的效果之一。

如今，我們可以肯定地說：「新的閱讀技巧更有利於創新和改革舊思維，創造其他人未曾想過的想法與事業。」

賈伯斯在世界科技文化雜誌《連線》（*Wired*）的採訪中曾經說過：「創新是將各種元素串聯在一起，唯有串聯不同的事物，尤其是異質性較高的事物，才會出現創造力。」

相較於過去的閱讀法，串聯閱讀法更有利於創新的原因就在這裡。

08 目的不在知識，而是創新

人們過去盲目遵循的傳統閱讀技巧，正是一本接一本讀的漸進式閱讀，進而從中獲取新知的知識拓展型閱讀技巧。若同時閱讀多本書，並且串聯與整合內容，接著建立平台，此技巧是什麼樣的閱讀方法呢？

全球最大社群媒體公司臉書，用戶超過十五億，然而上傳至臉書的貼文中，沒有任何一則是由臉書直接發布的內容，由此可知，最重要的不在於知識的擁有或擴張，而是能否串聯世界上個別存在的知識，建構成龐大知識、構想和想法的平台。

假如有人徹底執行漸進式閱讀，即使讀完一萬本書，從中獲得的個別知識，也無法成為有用的武器，但是若能串聯大量的知識與想法，建構新的知識平台，必定能成為個人的有力武器，也能因此發展出更多知識或構想，創造嶄新的內容。平台的威力就是如此強大。

有些人就算只讀完十本書，相較於讀完一百本或一千本書的人，反而創造出更好的成果，有著更了不起的發展。當然可以用「他們運氣好」籠統解釋他們的成功，不過世界其實比想像中更公平。為了拓展知識，漸進地讀完一百本書的人，創作不出任何書，然而閱讀時緊扣一個主題建構知識平台的人，即使只讀完十本書，也能輕輕鬆鬆撰寫一本新書，便是因為串聯各種知識、資訊、構想與想法，能發揮莫大的威力。

即使學者學富五車，也不是每位都能創作出一本書，所謂「珠玉三斗，串成為寶」，如果沒有串聯個人知識的技巧或能力，自然寫不出書。

透過漸進式閱讀獲得的片段知識，由於各自單獨存在，不具有太大的力量，然而藉由網路形成的垂直平台（vertical platform），即使不是個人的知識，也能善加運用，而且就算知識有限，還是能透過互動創造新的靈感與想法。

從愛迪生的人生故事中，也可以一窺串聯閱讀的原理。英國科學家斯旺（Joseph Swan）能力與愛迪生匹敵，但他的成就僅止於發明燈泡，而愛迪生卻串聯自己的發明和外部資源，締造當時不存在的嶄新平台，發展電燈事業。

在平台企業（platform business）中，優步（Uber）是具代表性的企業之一。優步未掌管或握有任何一台計程車，仍發展成全球最大的計程車公司，原因就在於，平台企業懂得利用自己並未擁有或掌握的資源，創造特定價值，所以發展速度比傳統企業更快。

以知識拓展為導向的閱讀，目標在於取得和掌握知識，然而以建構平台為導向的閱讀，目的不在於知識，而是持續產出新的靈感、發明和想法。

串聯閱讀法的首要目標不是辛苦地讀完大量書，或擁有豐富的知識，而是連結每本書的內容與知識，透過互動建構平台。只要建立起平台，就能順利創造新的知識與構想，也能讓你瞬間讀完下一本書。

第 3 章

讓解決問題的能力效果加成

「有田不耕倉廩虛，有書不讀子孫愚。」

——白居易，《勸學文》作者

09 不只自我滿足，還要在宇宙留下印記

歷史上，有許多閱讀天才，這些閱讀天才或讀書狂分為兩類：

1. 反覆閱讀的讀書狂。他們過於熱愛閱讀，並且終其一生閱讀，閱讀量相當驚人。不僅透過閱讀獲得成長與發展，內在智力與思考能力或許會超越我們的想像，然而也僅止於此。

2. 在宇宙留下印記的讀書狂，我稱之為閱讀天才。在本書中我所提及的人物，全都屬於此類讀書狂。

第一類的讀書狂成就了個人內在的成長，可以確定的是，他們在閱讀中享受著極大的快樂、喜悅與自我滿足。然而第二類的讀書狂透過閱讀所獲得的並非自我滿足，而是外在傲人的成就。

那麼，這些在宇宙留下印記的閱讀天才，究竟使用什麼樣的閱讀技巧呢？

「平台」的概念也能運用在生活

幾年前開始，與第四次工業革命時代相關的書籍，如雨後春筍般出版，即使我沒有太大的興趣，也自然而然讀到這類書籍。讀了這類書，竟然發現幾點令人驚訝的事實，其中一個正是「平台」的效果。

谷歌、臉書、亞馬遜和蘋果等公司，之所以能瞬間超越過去獨占巨大資本與技術能力的企業巨頭，背後驚人的祕密就在於創建平台。

幾年前，對於這個事實，我並未特別在意，然而最近針對平台的效果進行深度分析時，卻受到極大的衝擊，因為我發現，平台的概念不僅存在於企業，也能應用在生活的一切原理與原則。

事實由他人告知還是由自己發現，兩者有天壤之別。我屬於後者，自行發現閱讀天才正是落實與運用整合式閱讀，活用串聯閱讀法的人，也是閱讀能力特別與眾不同的人。

現在起，讓我們一步步學習閱讀天才使用的頂尖閱讀技巧吧！

10 一次讀十本書的心法

閱讀法也需要革命，你已經開始革命了嗎？還是到現在仍在用與一百年前相同的方法和能力閱讀呢？這輩子都要繼續用國小階段用的技巧和能力來閱讀，沒有任何進步和成長嗎？

閱讀也有要領和技巧，能讓你瞬間躍升為閱讀天才的讀書技巧確實存在，只是你還沒有發現。現在你可以高枕無憂了，因為這本書將帶你一同發掘人工智慧時代必備的閱讀革命——新的閱讀技巧。

抄書之法，吾之學問先有所主，然後權衡在心，而取捨不難也。……凡得一書，惟吾學問中有補者採掇之，不然者竝勿留眼。雖百卷書，不過旬日之工耳。

丁若鏞在信件〈答二兒〉*中明確告訴兩個兒子，只要掌握閱讀心法，就能在十天內讀完一百本書，因此必須學習「權衡」、學習閱讀法，也就是在十天內讀完一百本書的方法。如果只是翻開書本漫無目的地閱讀，即使足以自我滿足，也絕對無法達成我們期待的正向閱讀目標。

透過抄寫閱讀法，就能學習且掌握閱讀心法。不過，抄寫閱讀法並非唯一的方法，在眾多提高串聯閱讀法效果的技巧中，量子閱讀法與抄寫閱讀法不過是其中兩種。由這點來看，學習量子閱讀法與抄寫閱讀法的人，別說是一百本，在十天內消化完一千本都是有可能的。

可以確定的是，串聯閱讀法為一項能瞬間讀完十本書的閱讀技巧。

像遊戲一樣，輕鬆、有趣、成效好

各位玩過尋寶遊戲嗎？國小外出遠足時，老師會事先在山上的石頭下或樹枝間藏好寶物紙條，再讓學生尋寶。

孩子們互相追逐奔跑，只為了尋找寶物紙條，尋寶過程中的專注與歡喜，發現寶物紙條時的激動，這一切是多麼令人開心且振奮啊！

閱讀也可以如尋寶遊戲般有趣。一本接一本閱讀的方式，總讓人感到無聊乏味且厭煩，然而一次串聯多本書籍的閱讀法，就變得相當有趣，將被動接受書本內容、學習新知的目的，轉變為主動比較多本看法各異的書籍，建構新的知識平台，這樣的過程就如同藝術家創造作品一般。

比爾·蓋茲、賈伯斯、馬斯克之所以能讀這麼多書，是因為他們就像玩尋寶遊戲一

＊收錄在《定本與猶堂全書》，文集卷二一。

樣，使用如遊戲般的閱讀技術，與至今為止的閱讀方法截然不同，既輕鬆又有趣，且成效是最好的。雖然各位很難相信，不過閱讀轉眼間變成遊戲，帶給人無限樂趣，此景豈是一兩句話能說明白的呢？

靠平台的串聯和互動，帶動熱潮

曾經有一段時間，選秀節目《演歌小姐》（*Miss Trot*）大受歡迎。韓國演歌（Trot）這種老歌類型的音樂，年輕人乍聽可能感受不到它的魅力，我也還算年輕，沒有特別喜歡，但是看過節目後，竟也愛上了演歌。為什麼原本不關注演歌的人，會如此著迷於選秀節目《演歌小姐》呢？

如果是一首接著一首播放演歌，人們或許不會如此著迷，我想，是因為風格各異其趣的表演者彼此競爭和比賽，一起建構「尋找一百億演歌小姐」的平台。在平台中，表演者、評審和觀眾彼此串聯和互動，創造了平台效果，帶起極大的熱潮。

就是這個！我所說的，就是要各位在閱讀時也這麼做。已經有許多偉大的閱讀天才，用這種方式在閱讀了。

11 資訊爆炸時代，更要打破框架

閱讀法的經典著作，在我看來非艾德勒的《如何閱讀一本書》莫屬。這本書有許多譯本，有些翻譯相當糟糕，不忍卒睹，還有些省略原文的內容，相當可惜。

十年前，我在圖書館第一次讀到這本書，深受衝擊。這本書出版於一九五〇年代，在五十年前就已經出現閱讀法書籍，豈不令人驚訝？更令人訝異的是，作者艾德勒並非畢生研究閱讀法的專家，他更接近哲學家或教育家。

他提到的最高層次閱讀技巧正是主題式閱讀（syntopical reading），具體做法為針對一個主題同時閱讀與比較多本書籍，藉此深層理解該主題。

主題的英文「syntopical」當中的「syn」，是表示一起、同時和相似等意思的字首，「topic」的意思是話題的、主題的，因此組合兩者的含意，即針對相同主題，同時閱讀多本書籍的閱讀法。

五十年前出現的主題式閱讀法，在當時可謂最不得了的革命式閱讀法，直至今日也仍有許多人繼續使用。主題式閱讀法的最終目標，在於透過比較多本書籍加深對某主題的理解。如今，人們需要比主題式閱讀法層次更高的新興閱讀法了。

在資訊爆炸、人工智慧的時代，不僅訊息氾濫，也有無窮無盡的書籍不斷出版，在此情況下，人們需要力量更強大的閱讀技巧，正是串聯閱讀法。

要選擇和過去相差無幾的漸進式閱讀，還是能提高閱讀能力與閱讀量的串聯閱讀，端看各位的選擇。

串聯閱讀法是跳脫框架，甚至是沒有閱讀框架的閱讀方式，能讓讀者跳脫陷於傳統框架的閱讀，也是能在閱讀中打破框架的技巧。

12 一次吸收海量書籍，還能運用與再生

包含艾德勒的主題式閱讀法在內，幾乎大部分的傳統閱讀法，目標在於理解書本內容與習得新知，也就是說，閱讀是為了理解與習得，而串聯閱讀法與此相對，則是強調**閱讀是為了運用與再生**。

當建構具有超連結*（hyper connected）或超智慧†（super intelligence）功能的平台後，讀者將可瞬間體驗到巨大的效果。串聯閱讀法不僅能幫助你在短時間內閱讀大量書籍，更能將你所讀的書籍轉存為大數據，其中的關鍵就在於整合與串聯並建立平台的閱讀方式。

令人訝異的是，只要建立起個人平台，日後就能像真空吸塵器一次吸入大量灰塵一樣，一次吸收海量書籍進腦袋。

把相同主題的書一次擺在桌上

創建平台的閱讀具體該如何進行呢？可以想像以下情境。

假設你聽到「平台」一詞，於是前往圖書館，取出所有名稱有「平台」的書籍擺在書桌上，針對「平台」這個主題開始建構知識平台。

平台是什麼？平台企業又有哪些內容？種類有多豐富？建構平台的效果如何？又能擴張和應用到什麼程度？

一邊翻閱書桌上的十本書，一邊快速在心中解決這些問題。

完全不需要從頭到尾一字不漏地讀完一本書，只要像尋寶遊戲一樣，盡情沉浸在某

＊高度連接，特徵是廣泛或習慣使用具有網路連接的設備。

†超越人類的智慧，屬於一種高級的智力能力。

個主題裡，一邊串聯、分享、再生與互動就行。閱讀過程中，如果出現與「平台」這個主題無關的內容就立刻跳過。有興趣當然也可以讀讀看，讓腦袋休息一下。

若想運用這種方式找出和主題相關的內容，在閱讀過程中，絕對需要搭配抄寫閱讀法，將知識彼此串聯，進而生成大數據，因為人類的智力與記憶力多多少少存在局限。

還發現到一點，學會量子閱讀法，或是能快速讀完一本書的人，和花費五到十個小時讀完一本書的人，即使同樣學習串聯閱讀法，效果也完全不一樣。同樣地，透過抄寫閱讀法的訓練，能準確找出書本核心的人，肯定比其他人對串聯閱讀法更駕輕就熟。

串聯的閱讀方式相當有趣，從丁若鏞寄給兒子的信中可以證明，他正是以此方式閱讀，也因此使他過人一等。

13 一種雙向、多層次的學習法

傳統漸進式閱讀法，是強調理解與習得知識的單向、初階閱讀法，串聯閱讀法則是以串聯與數據再生為導向的雙向、多層次學習法。

傳統閱讀法的終極閱讀目標，在於習得大量知識並且擁有，然而串聯閱讀法對習得與擁有知識毫無興趣，如優步並未擁有任何一台計程車般，目的在於運用世界上廣泛的知識與構想，創造出新的價值。

即使閱讀再大量的書籍，傳統閱讀法也難以讓人創作出一本新書或新內容，需要更多額外的時間和資料，但是串聯閱讀法全然不同，**閱讀行為的本身就是在創造新內容，也是發明的過程，即便目標是寫一本新書，也不必花費額外的時間和蒐集資料，創造內容的時間，就足以寫作、創作。**

我之所以能不中斷閱讀的習慣，並且在講授許多課程的同時能持續出版新書，祕密就在於此。對我而言，閱讀就是寫作。

圖表 3-1 可以立刻了解傳統的漸進式閱讀法與串聯閱讀法的差異。

	漸進式閱讀法	串聯閱讀法
核心	以理解為核心	以串聯為核心
層次	單層次	多層次
進行方向	單向	雙向
追求目標	知識習得	數據再生
特點	個別	整合
目的	習得、擴張知識	建構、擴張平台
方法	一次一本	一次多本
結果	擁有大量知識	創造新知與構想
價值	滿足於知識的擁有	最大程度活用知識

圖表 3-1　漸進式閱讀法與串聯閱讀法的比較

14 第一步先釐清自己的閱讀目標

串聯閱讀的具體執行方法，第一步是決定主題，也就是決定目標。絕對不能漫無目的地閱讀，除非是將閱讀當作消遣或是無聊才讀書，除此之外，都需要先確定自己讀書的目標再來執行。釐清是為了閱讀而閱讀，還是有目標的閱讀（例如：為了改變人生，將閱讀的所學運用在人生中）。

以目標是寫書為例。如果你希望提升寫作能力，或你的寫作是為了深入了解特定主題和有待解決的問題，那麼目標可以設定成：「該怎麼做才能加強寫作？」

設定好目標後，下一步挑選與主題相關的書籍。這個過程相當困難，必須耗費許多心力。其實在整個閱讀的過程中，讀什麼書最重要，因為挑選真正的好書來讀，與讀一本平庸且幫助不大的書，兩者的效果有天壤之別。閱讀的時間如此寶貴，紙張和書錢也是那麼地珍貴，應該好好運用。

頂尖專家或有實力的作家，創作的書籍與著作可以讓人們學到許多。反之，內容平庸的作品，讀完可能會令人惋惜。所以在挑選與主題相關的書籍時，還是得盡可能挑選有實力的作家、內容豐富詳實的書或受到許多人喜愛且讀者眾多的書籍。我們沒有時間讀完世界上所有的書，如果某本書已經有許多人讀過，代表這本書是不錯的選擇。

客觀挑選好書的兩大標準

想要挑選出既切合主題又可以有所收穫，並受到眾多讀者認同的好書，必須經過以下的過程。

首先，在圖書館或網路檢索以「書籍撰寫」為主題的書，會出現許多相關搜尋結果，從中找出與主題高度相關的書，挑選的數量超過自己預計要選擇的二至三倍，以淘汰其中一半以上的書。

若一看見跟書籍撰寫有關的書，就立刻挑選來讀，不僅浪費時間，也沒有效率。即使是相同主題的書，有些是由領域的專家所寫，有些是空洞無物的書，因此該如何選擇既可學到知識，內容又豐富可靠的書，這點我可以提供一些訣竅。

不論閱讀的主題是什麼，都要客觀評估寫這個主題的作家個人的業績或成就。假設選擇的主題是書籍撰寫，必須用同一套標準，以客觀評比該類型書籍作家的實力與功力。

客觀評比寫作或創作類型書籍的最好辦法，有以下兩種：

1. 先了解這位作家到目前為止的著作中，有幾本書受到眾多讀者的閱讀與喜愛，甚至進入暢銷排行榜。如果一個作家炫耀自己寫了數十本書，卻連一本都沒有登上暢銷排行榜，那多少有些不合理。只有向頂尖作家學習，才能成為頂尖作家。透過這個機會，也可以檢視作家目前為止出版的所有著作，還可能會發現有的作家過去寫了非常多書，目前正在休養或將心力放在其他地方。

2. 一個真正有實力的作家一定能持續成長，比過去更受到讀者的喜愛。無論什麼領域，能持續發展的人，才是真正的專家。不妨從書店各類型暢銷書的前一百名中，尋找該作家有幾本著作入列。從暢銷榜的第一名一路看下來，就能知道誰是最會寫書的作家，也就是最受讀者喜愛的作家。

經由這一系列的檢驗過程，就能挑出大約十本切合主題，又能學到知識，也深受眾多讀者喜愛的書。可以買下這些書好好閱讀，別想著：「到圖書館借閱就好。」越是好書、受歡迎的書，在圖書館肯定都被借走了，輪不到你借閱，如果真是一本好書，建議還是買來收藏。

少了抄寫步驟，很難吸收知識

挑選好適合的書目後，一邊心想你想解決的問題，如：怎麼做才能在短時間內強化寫作能力？同時或連續閱讀你所選的幾本書，將有助於解決這個問題的內容抄寫在筆記本上。

在此階段中，抄寫是相當重要的過程，務必將讀過的內容寫下來。如果你是天才，大可不必抄寫。如果你是平凡人卻不願意抄寫，可是很大的問題。

閱讀的目的並不在於閱讀的行為，而是達成某個目標，也就是發現某個問題的解決之道，若少了抄寫的步驟，在之後便難以完成串聯、整合與建構。

僅靠眼睛閱讀和抄寫閱讀，兩者會產生極大的差距，如果是單純只想讀書的人，單憑眼睛閱讀也無妨，不過想要進行深度閱讀、良性閱讀，就必須運用抄寫，特別是執行串聯閱讀法時，更少不了抄寫。

抄寫完讀過的內容，拿著這本筆記本，下一步將進入串聯與整理的階段，為發想出最佳解決策略進行再造與再生。在這個過程中創造的成果，本身就足以成為一本以「書籍撰寫」為主題的書了。

像這樣建構出書籍撰寫平台的讀者，之後閱讀任何相關書籍，也能讀得更快、更深、更廣，因為經過這一連串的過程，你的程度已經快速提升到接近專業書籍作家的程度了。

只讀十本書，也能成為半個專家

「我才讀了十本書，就是半個專家了？」

是的。如果你僅靠眼睛閱讀，讀一百本也是不夠，但是串聯閱讀法不是只靠眼睛閱讀，而是建構平台以創造某種新事物。在閱讀十本書的同時，一步一步走過不同階段，最終建構了平台，並且在這個過程中，程度與內容深度超越了這十本書，便能創造出更多這些書中沒有的全新書籍撰寫技巧、原理或方法。有些人能創造出多個方法，甚至能高達數十個。如此創造出來的成果，都將成為創作書籍撰寫類型新書的肥沃養分。

如果你是一個知識淵博，能撰寫企業管理論文的博士，那麼只要是坊間的企管書籍，肯定能輕鬆快速閱讀，不僅理解得更深，也應用得更廣，比一般人讀得更快、更多。這個原理同建構平台的串聯閱讀法。

所謂建構平台，就是讓自己在某個領域或主題上，有效且輕鬆快速地晉升為博士等級的方法，這也是一種面向終生學習的最強閱讀技巧。有一點必須注意，當你設定成目標的問題或領域範圍越廣，失敗的機率越大、越不利。換言之，不是照前文提到的方式做，任何人都能成功建構平台。根據每個人閱讀能力的不同，有些人最終失敗，有些人能水到渠成，然而即使順利建構成功，結果也可能有著天壤之別。以我為例，因為我十年來都是這樣閱讀，原則上成果也會比一般人更好。

難道沒有適合新手讀者的方法嗎？有的，就是**將目標與主題的範圍縮小得非常具**

體。越沒有閱讀經驗的新手讀者，越需要明確設定問題，將主題的範圍切割到最小，設定越具體的問題，串聯閱讀法成功的機率才會提高，閱讀效果也會越好。

15 打造閱讀平台的七階段訓練

將串聯閱讀法建構平台的訓練過程分為七個階段：

1. 決定閱讀的準確目標，也就是有待解決的主題。相較於毫無主題、漫無目標地在眾多書本間輾轉來回的閱讀，更需要像有著明確目的地的航行般，選定一個有待解決的主題。

2. 挑選多本與該主題關聯度最高的書籍。在開始仔細閱讀、理解一本書之前，必須先檢視這本書與主題有多大程度的關聯，並排除不相關的書，依照關聯度的高低來選書。選出的書籍關聯度越高，閱讀的效果越好。

3. 同時或連續快速閱讀同一主題的多本書籍。此時正需要運用量子閱讀法，以涉獵更多書，並掌握書本的核心內容。

4. 選出書中與有待解決的主題相關的內容，用自己的話記錄下來，整理成文章。在此階段，抄寫閱讀法不僅是最重要的基礎，也是不可或缺的技術。

5. 將多本書中摘選出的構想、知識與訊息，分類選出最重要且必要的，再整合個別知識與訊息，彼此串聯、創造出構想或知識。至於沒有被歸類至核心的知識與訊息，同樣可以創造其他構想或知識。

6. 將互動中創造出的各種新知、訊息與構想，進行串聯、整合、重組後，建構出一個針對特定主題的全新大數據，也就是龐大的平台。

7. 驗證建構出的平台，能否充分且徹底發揮問題解決方案平台的功能，以解決你設定的主題。驗證成功後，就像站在巨人的肩膀上，能運用平台進行效果更好、更強的閱讀。如果驗證後認為平台仍不足以成為問題解決方案，再回到第二階段，重新走一遍建構平台的流程。**問題解決方案平台最重要的，不在於建立得多快，而是建構得多健全。**

省時省力，更獲得好的解決方案

假設你要讀的是「閱讀法」書籍，心裡只要想著：「什麼是閱讀法？什麼樣的方法最有效？」同時快速找出書本中與這些提問關聯度最高的部分來閱讀即可。

分別從多本書中挑選出問題的答案，以自己的文字整理後，彼此串聯和參照這些答案，相對薄弱的內容可以更加齊全，如此一來，比起從單一書本中獲得答案，更能得到令人滿意的解答，這便是平台建構的效果與原理。

如果是一本接一本地個別閱讀、個別尋找解答，即使讀了再多與閱讀法相關的書籍，也找不到滿意的答案，因為這種閱讀方式無法大幅跳脫每本書個別的內容範圍和局限。然而進行平台建構式閱讀，即可輕鬆超越每一本書的內容範圍與程度局限，會帶來威力驚人的加成效果。

在一次閱讀十本書的同時，若能串聯每一個與提問、主題相關的解答，彼此間可產生加成效果，互相補強、整合原本存在缺陷的解決方案，創造出一個令人滿意的大型解決方案。透過串聯與整合的過程，能導出原本書中沒有的全新解答，正是新價值的產出，也可以稱為大數據的再生。

進行串聯閱讀法，優勢除了節省大量的時間與精力，更重要的是獲得更新、更好的解決方案，並且針對關注的主題建構平台。

讀一百本也有千本的效果

為了發現好的閱讀法，或許得讀完超過一千本的閱讀法書籍，但是要讀完如此龐大的書籍，必然得消耗驚人的時間與精力，要是運用串聯閱讀法，即使只讀一百多本，也足以發現對自己有用的內容。也就是說，**運用串聯閱讀法，即使只讀一百本書，也能達到讀完一千本書的效果。**

不僅如此，利用串聯閱讀法建構起有關閱讀法的平台雛形後，接下來接觸到新的閱讀法書籍時，可以讀得更快、更輕鬆，並且理解得更深入。當閱讀變得更輕鬆、更迅速時，自然能消化完更多的書，帶起良性循環，效果就像大學國文系教授閱讀國中國文課本一樣。

傳統閱讀法著重被動理解書本內容，學習其他人創造出來的知識，因此一開始相對容易且輕鬆，不過之後的閱讀只會越來越困難，持續以傳統方式閱讀的讀者，閱讀的理解能力與程度必定相當低落，也僅止於表面的理解。進行串聯閱讀的人，則是為了理解某個主題，辛苦蒐集資訊，為創造新的知識、構想與個人見解而努力，在這樣的過程中，對所追求主題的理解能力與程度自然大幅提高，能達到更深層的理解。雖然建構一個前所未有的知識平台相當辛苦且困難，不過一旦平台建構完成後，閱讀相關主題的書籍時，閱讀能力將瞬間提升，閱讀量也會倍數成長。

總而言之，串聯閱讀法是從每一本與某主題相關的書中，挑選出與自己設定的主題最相關的內容，以自己的文字做整理後，將彼此互相串聯，建構成一個平台，並且藉由過程創造出新的價值、內容或解決方案。

第 4 章

資訊爆炸時代，高效率閱讀是必備技能

「一本書，如果我們讀了不能在腦門上擊一猛掌讓我們驚醒，那為什麼要讀它呢？」

——卡夫卡（Franz Kafka），奧匈帝國德文作家

16 創造力不是源自知識，而是串聯

廣泛閱讀各領域的書籍，或讀完圖書館藏書的人，是如何具備足以成為發明家的卓越創造力呢？

創造力不是源於知識，而是源於看見新的事物，想要看見與過去截然不同的嶄新事物，最好的辦法是持續針對特定主題加以串聯與建構。

過去有音樂，也有電視，兩者個別存在，某天有人將兩者串聯在一起，使彼此產生連繫，於是音樂影片（Music Video, MV）就此誕生。又例如，串聯汽車族與銀行業務需求，出現免下車銀行，或是串聯花生醬與巧克力，出現美國瑞氏（REESE'S）花生醬巧克力。

過去葡萄汁榨汁機與鑄幣機個別存在，某天，有人串聯兩種物品，建立新的關係，產生第一台印表機。

積極串聯者，必能長存

串聯與建構是創意的導火線，美國麻省理工學院（MIT）大數據專家艾力克斯・潘特蘭（Alex Pentland）曾說：「研究創造性人才的行為後，發現他們都善於串聯與建構。」

他發現，即使是如同數位麵包屑*（digital breadcrumbs）般毫無意義的個人生活，只要懂得串聯與建構，使數十億個數位麵包屑彼此產生連繫，訊息就不再沒有價值，能建

*頁面路徑，又稱麵包屑導覽，為使用者介面的導覽輔助。麵包屑一詞來自童話故事《糖果屋》（*Hänsel und Gretel*），主角沿著撒下的麵包屑找到回家的路。

構另一個平台，也稱做大數據，成為激發洞察力的導火線，帶給個人深刻精闢的觀察。

透過串聯與建構，我們能用簡單扼要的方式解釋複雜且微妙的社會現象，像是過去不易理解的金融危機、政治劇變與貧富差距等。

富蘭克林、丁若鏞和愛迪生不僅是串聯與建構的大師，也是「系統思考」*的大師。系統思考專家彼得・聖吉（Peter Senge）認為，在瞬息萬變的體系中，透過事物間的串聯，能讀出變化的模式與彼此間的關聯，而不再局限於獨立、個別的事物，這就是創造思考的基礎。

這正是一般讀者沒有，他們卻特別擅長的能力——串聯與建構自己讀過的書本知識與經驗，創造出新事物。

元太祖成吉思汗曾留下一句經典名言：「積極進取者，必定長存。」在他所處的時代，開疆拓土是一種串聯與建構。不過，現今不再是地理上移動的時代，透過其他方式，同樣可以進行串聯與建構。今日，即使人們在默默無名的圖書館角落靜靜地看書，也能透過網路與地球另一端的人連結。

從現在開始，人們必須進行串聯與建構的閱讀，也需要付出努力，過上這樣的生活。我想將成吉思汗的話用另一種方式詮釋：

積極串聯者，必定長存。

＊以整體來思考問題的思維模式。

17 向畢卡索學習串聯與整合

畢卡索的名畫〈亞維農的少女〉（*Les Demoiselles d'Avignon*），隱藏著一個祕密。其實這幅畫並非由畢卡索從無到有創作的，而是他將已存在的作品，大約三、四位不同畫家的畫作加以串聯、整合而成。這正是整合革命，也是平台建構的效果。

畢卡索曾說：「優秀的藝術家懂複製。」是的，藝術家必須懂得複製，更深入地說，藝術與創作是大量參照、借用彼此的作品，透過串聯、整合與互動創造加成效果。

畢卡索之所以偉大，不是因為他比其他畫家的繪畫技巧更好，而是因為他建構了名為「立體主義」（cubism）的獨特平台，當平台建立完成後，便能運用平台的力量發揮極大的創造力與生產力。透過平台，畢卡索得以在一天內畫出一幅內容豐富且令人驚豔的作品。

〈亞維農的少女〉是參考巴洛克派代表畫家魯本斯（Peter Paul Rubens）的〈巴黎的審判〉（*Judgement of Paris*）、法國畫家塞尚（Paul Cézanne）的〈五浴女〉（*Cinq Baigneuses*）與〈三浴女〉（*Trois Baigneuses*）、西班牙藝術家葛雷柯（El Greco）的〈揭開啟示錄的第五封印信〉（*The Opening of the Fifth Seal*）等畫作，融合為自己的作品，或許可以將此作品看做是平台建構後的副產物。

這並非拼湊或剽竊，層次完全不同。畢卡索用自己的方式，串聯、解構畫作中微小的組成要素，再進行重新串聯，以創造出過去沒有任何一位畫家創作過的新作品。

如果只是拿其他畫作的一部分來使用，就是拼湊或剽竊，不過加上個人獨特的編輯和串聯，便能成為另一個新作，畢卡索正是因此而說出「優秀的藝術家懂複製」的驚世狂言。畢卡索的偉大作品，為建立在串聯與整合上的平台建構產物。

善用人工智慧，培養個人力量

閱讀十本書，效果也能超越閱讀一百本書，這句話說得通嗎？

在過去「要怎麼收穫，先怎麼栽」的工業化時代，這句話或許說不通，但是現在是人工智慧的時代，這句話絕對成立，端看你如何執行閱讀。

網漫作家或YouTuber不是做多少賺多少，而是按照讀者數、點閱率賺取收益。亞馬遜、臉書和谷歌等企業，根據網路串聯的緊密度創造收益，並發揮影響力。優步也是用戶越多，收入越高。

傳統閱讀，由閱讀量來決定學習、成長的幅度和幫助的效果，如今閱讀量已經無法帶來相對應的幫助，「如何閱讀」才是導致效果天差地別的關鍵。在人工智慧的時代，有不勝枚舉的方法能超越過去傳統閱讀的有限效果，今日，知識或商品的單純功能，已不再是武器，能真正成為武器的閱讀，也並非單純累積知識的閱讀。**培養個人力量的人工智慧能力，才是真正的武器。**

閱讀一百本書，學到個別且分散的知識，和閱讀十本書，將各種訊息與構想串聯成平台，創造出新的知識與構想，哪一種情況才能成為強而有力的武器呢？

前者的閱讀法是經由閱讀、思考、討論與提問，理解並習得書本內容，後者的閱讀法運用串聯、整合與創造，正是閱讀十本書也能超越一百本書的祕訣。

我想將畢卡索的話以另一種說法詮釋：

優秀的讀者懂建構。

18 重要的不是工具，而是問題本身

特斯拉執行長馬斯克曾說：「我們應該教導孩子，重要的不是工具，而是問題本身。」

如今人們身處瞬息萬變的時代，各種技術推陳出新，人工智慧的運用也在生活各方面引發巨大改變。因此，我們需要的不是大量累積既有知識的技巧，而是面對新問題時，能夠解決問題的想像力與創造力，也是能夠強化挑戰精神，以面對每天發生的問題之技巧。

在變化莫測的時代搶占未來、引領當代的領袖，並非由傳統知識的多寡所決定，而是由解決新問題的能力所決定。挑戰導向的學習正是現今最需要的學習法。

跳脫知識消費者階段，成為創造者

在閱讀方面，挑戰導向學習*（challenge based learning）不是「要做不做隨你」的選擇題，而是非做不可的方向與目標。

挑戰導向學習最重要的目的，是讓學習者跳脫學習和利用既有知識的知識消費者階段，成為不斷創造新知與內容的創作者、內容創作者、發明家、企業家或開拓者。

閱讀也是相同道理，一般讀者的閱讀目的，只是閱讀他人辛苦撰寫的書籍，停留在內容消費者（讀者）的階段，然而利用挑戰導向學習的原理進行閱讀的讀者，會勇敢跳脫內容消費者（讀者）的層次，向創作者的層次邁進。

創作者可以是發明家、作家、企業家、開拓者、內容創作者等，這些身分皆是相同的脈絡。

---

*是一種主動的學習，強調學習的主題是個人對某問題的挑戰，而不是單向的知識吸收。

閱讀的目的不應該只是閱讀大量書籍，如果大量閱讀只為了自誇或向他人炫耀「我讀了很多書」，倒不如不要讀。坦白說，這種閱讀目的即使讀了再多書，人生也不會有所改變，對個人的成長與發展也毫無幫助。

相較於閱讀行為本身，**透過閱讀能多大程度地改變和提升自己的人生，才是閱讀真正的價值**。從這點來看，挑戰導向閱讀的價值更高。

讀多讀少不重要，如何讀才重要

人生不會因為閱讀量的多寡而轉變，而是閱讀是否徹底影響自己而改變。讀多讀少並不重要，如何閱讀、用什麼技巧閱讀，才是至關重要的。比起讀過書後沒有留下什麼，不論是何種知識，只要有所吸收都是件好事。比起吸收知識，有某種發現或創作當然更好。

最好的情況是發現某個可以挑戰的課題，可以是改變人生的挑戰，也可以是改變世界與人類文明的挑戰，就像本書所提及的閱讀天才一樣。

19 避免被時代淘汰的非線性成長

3Com 創辦人暨乙太網路（Ethernet）發明人梅特卡夫（Robert Metcalfe）曾強調：「電話網路的價值，將隨著企業數量的增加，達到非線性增加。」電話首度問世時，是誰最早購買電話呢？有人買了人類史上第一台電話，可是世界上使用電話的人除了他之外沒有別人，因此實際上他無法使用電話，電話的價值為零。

現在看來，能夠賣出第一台電話的人，肯定達成史上最偉大的銷售成就吧？即使如此，當電話的使用者只有一人時，電話無法發揮該有的功能，價值就為零，但是隨著越來越多人購買電話，價值也跟著水漲船高。

世界上原本只有一台電話，直到第二台電話出現，才形成一個連結，價值提升為一。當電話增加到四台時，電話的價值並非為四，而是六，因為彼此間有六個連結。當電話流通到十二台時，價值為六十六。成長到一百台時，可連結的數量已達到四千九百五十個。此現象稱為「梅特卡夫定律」，又稱為「非線性成長」，建構平台的蘋果、谷歌或臉書等企業，皆呈現此種成長模式。

這些企業發揮雙面的網路效應，因此能創下史無前例的成長，梅特卡夫的電話也發揮了雙面網路效應，既有的用戶不再是消費者，反而帶來如催化劑般的效果，吸引更多使用者加入。以優步為例，乘客越多，帶來的駕駛就越多，駕駛又能帶來更多的乘客，在彼此不斷地影響下，平台逐漸成長壯大。

串聯閱讀法正是唯一一種能帶來雙面網路效應的閱讀技巧，單純閱讀而習得知識的閱讀技巧，無法推動永續閱讀，然而藉由閱讀與串聯建構出的知識與構想平台，將可引發更多元、更廣泛的閱讀，大量的閱讀又將加強串聯與建構的平台，透過這種良性的循環互動過程，就能持續不斷地創造新的知識與構想。

谷歌如何從落後追趕成第一?

曾經遠遠落後的谷歌和臉書,如何成為世界的頂尖企業呢?

過去,雅虎(Yahoo)比谷歌更多人使用,也更受歡迎,谷歌晚雅虎四年才發跡,然而谷歌卻一腳踢開雅虎,成為全球數一數二的入口網站。

二〇〇〇年代初期,隨著網路使用者與網頁開發者的等比增加,雅虎的搜尋與擴充功能逐漸退步,因為雅虎選擇讓員工直接編輯階層式資料庫*(hierarchical database)的普遍方式,網頁開發者向雅虎提交網頁後,必須等上數日乃至於數週。然而谷歌的做法不同於雅虎,他們經過一番苦思,終於找到與眾不同的方法。

谷歌檢視各個網頁如何與其他網頁連結,其中,若重要性較高的網頁,前往該網頁的連結越多,在搜尋結果的排行順序就越前面,藉此吸引更多的使用者。

這種獨特的演算法,能同時滿足網路雙方的使用者,比起職員人力,谷歌採用的是擴充性更好的差異化演算法,因此谷歌才能以廣告商與廣告消費者為媒介,建構一個其他企業難以企及的媒介平台。

谷歌創辦人賴利・佩吉與謝爾蓋・布林（Sergey Brin）擁有建構平台不可或缺的演算法技術——網頁排名（PageRank）。不僅如此，谷歌為了成為最頂尖的平台企業，甚至併購 Android 與 YouTube，更依序併購照片編輯應用程式 Picasa、文件編輯應用程式 Upstartle、網頁編輯軟體 AppJet 與協作軟體 DocVerse 等，從未停止建立巨大的平台。

谷歌的成功祕訣，在於建構出能收獲巨大網路效應的強大平台，發展為網路雙方使用者都能自由快速存取的平台企業，成為最後的贏家。便利的網頁存取與強大的平台連結，讓使用者能自由、輕鬆且快速地進入平台，參與創造嶄新價值的活動，而這正是谷歌能快速成長的關鍵。

* 以樹狀結構設計的資料庫，每筆紀錄在同一時間只提供一名用戶使用。

加強網路串聯，臉書成為最大社群平台

與谷歌同樣是後起企業的臉書，如何成為全球頂尖網路社群企業呢？

其實韓國曾經有可望超越臉書的線上虛擬社區 Cyworld，美國有社群網站 MySpace，雖然這兩家企業如今都已經倒閉，但是在過去的全盛時期，也是擁有相當大的影響力與人氣。

然而 Cyworld 與 MySpace 太晚回應使用者的不滿，面對時代的改變，因應也慢半拍，可能因為曾經叱吒風雲，所以對時代的改變與使用者的不滿和需求，從不放在眼裡，導致使用者與開發者間的連結阻礙重重。

反之，臉書致力於加強網路連結與建構平台，甚至也提供外部開發者平台，讓他們能盡情開發以臉書為基礎的社交應用程式，建構複合式的平台。

此外，對於使用者生活中的各類訊息，像是個人生活、社交關係和興趣等，臉書皆慎重看待，妥善管理與數位化，建構一個活用這些訊息的巨大平台，因此臉書將人們關

注的一切事物，都視為社交對象。

臉書也透過定期舉辦發表會，持續發布迎合使用者的技術，致力於提高便利程度，未曾停止建構複合式的社交平台。為了實現更龐大的平台與整合革命，臉書陸續收購社群應用軟體 Instagram、即時通訊應用程式 WhatsApp、虛擬實境科技公司 Oculus VR 等，成為公司創辦以來擁有最大平台網路的企業。

這些從未停下腳步的成功企業，特點在於絕對不自滿或安逸於往日的成功，而是不斷自我改革，並且透過串聯建構平台。人們也應該如此，不能安於現狀，而是要不斷改革和串聯以建構平台，追求最後的成功。想要達到這個目標，需要的正是創建平台的串聯閱讀法。

20 藉由互動創造加成效果

最大程度提升閱讀能力與閱讀量的方法，正是谷歌與臉書成功的關鍵要素——不斷建構與擴張平台。

在資訊爆炸的時代，每天都有超乎想像的資訊大量出現，因此人們需要一種呼應這個時代的閱讀技巧。

在過去，單憑知識的習得，或許能走得比別人更前面，但如今單純吸收知識的傳統閱讀技巧，已無用武之地，因為時代和環境已經與過去全然不同了，如果無法快速提升閱讀能力與閱讀量，可能會被書海淹沒，甚至溺斃。

谷歌和臉書從未停止建構和擴張平台。由於谷歌可以自由且快速地存取，透過廣告商與消費者間的互動，帶來強大的網路效應，使谷歌得以達到非線性成長，走上成功的道路。

將相同模式應用在閱讀方法上，便能在短時間內進行海量閱讀，使大量、豐富的知識與構想快速流入平台，藉由互動過程創造加成效果，也就是最大程度提升閱讀能力的內涵。

不必徒手抓魚，而是撒網捕魚

最大程度強化連結後，即便只讀一百本書，效果也能超越讀完一百本書的人，不僅如此，還能藉由內部的互動，更快、更廣泛地讀完其他一百本書。

不過，只讀一本書因為無法產生串聯並建構平台，也就無法達到閱讀一百本書的效果，道理同全世界只有一人擁有電話，即使有電話也是無用之物。

至於閱讀十本和一百本的情況也不同。閱讀十本書，最多可以發揮到讀完二十本書的效果，閱讀一百本書，最多可以像讀完一千本書一樣。針對單一主題讀完一百本書，並且建構平台的人，能受惠於建構完成的平台，像真空吸塵器瞬間吸入灰塵一樣，擁有短時間內讀完大量書籍的閱讀能力。

建構平台的效果，好比蜘蛛結網，讀者從此不再用雙手捕魚，而是利用大網一次撈起數十隻魚。

第6章將再度說明建構平台的訣竅，能最大程度提升閱讀能力與閱讀量。

串聯閱讀法是讓閱讀的營地駐紮在海拔六千公尺處，距離目標山頂更近的閱讀技巧。決定有待解決的問題或需要深入了解的主題後，全神貫注於與之相關的書籍或內容。動手寫下你所掌握的內容，加以串聯、分享、整合，並建構成一個平台，接下來閱讀與該問題或主題相關的書籍時，可以發現自己的閱讀能力和閱讀量都有顯著提升，發生超乎想像的改變，就像將營地從三千公尺處遷往六千公尺處一樣。

21 編織閱讀平台的網絡

世界上的一切，是緩緩地改變與成長，也確實存在著像量子般快速運行的事物。如果我說一天可以提高閱讀能力十倍，你相信嗎？其實只要轉變閱讀技巧，改變落實閱讀的方法，絕對辦得到。

只要改變閱讀技巧，轉換成串聯閱讀法就可以辦到，就像蜘蛛不會為了抓一隻蟲辛苦地跑東跑西，而是守株待兔。不過要是蜘蛛沒有蜘蛛網，或許無法如此氣定神閒。正是因為蜘蛛會織蜘蛛網，所以不必辛苦地四處抓蟲，有一張能一次抓住許多隻蟲的網，即使在入睡期間，蟲也會自投羅網。

串聯閱讀法的原理可說是與蜘蛛網相同，只要利用串聯閱讀法織出一張名為平台的蜘蛛網，日後閱讀能力必定突飛猛進。

有別於編輯學的拼貼知識

編輯工學研究所所長松岡正剛在《知識編輯工學》一書中，曾經提及創造閱讀*。韓國文化心理學家金珽運教授用「編輯學」的概念說明。當然，在這之前也有人使用過這些稱呼。

編輯學跳脫單純以習得知識為目的的閱讀，更接近於蒐集、挑選和編排知識，賦予知識新的價值，從中創造新事物的閱讀。然而編輯學只能就所讀的內容和過程創造少數成果。

假設編輯學能生產一列火車或公車，串聯閱讀法就是工廠自動大量生產火車或公車，甚至可以說，串聯閱讀法最終要建設火車站或公車轉運站，讓大量的火車或公車自由進出。同理，只要知識平台建構完成後，大量的書籍與知識內容就能輕易進出平台。

法國人類學家李維史陀（Claude Levi Strauss）曾經使用與編輯學內涵相近的「拼貼知識」（bricolage）一詞，強調從無窮無盡的過剩資訊中剔除不必要的資訊，串聯必要的資訊創造新知。

法語「bricolage」的意思是「處理各項事務」，無論是編輯學還是拼貼知識，都僅止於串聯既有知識，創造出新知或成果。然而串聯閱讀法能讓大量的知識與成果更快、更輕易地產出，甚至建構一個可以互相分享的平台。

總而言之，編輯學是編輯的技巧，而串聯閱讀是建構平台的技巧。

有八成的人仍是傻讀書

六年前，我出版《傻傻讀書的笨蛋》，書中主張放棄笨蛋閱讀法，別再隨便翻開一本書，以為讀書只要看心情讀就好。其實，讀書真正重要的不是讀了多少，而是如何

＊不再是被動的吸收知識，而是將閱讀到的內容加以消化、整合，開創出嶄新的想法。

閱讀。

當然，如果你是把閱讀當作消遣或休閒的讀者，看心情閱讀也絕對沒有問題，更不是笨蛋。這裡我指的對象，是不為好玩而閱讀，抱持著透過閱讀改變人生的想法，希望藉由閱讀獲得成長的人們。他們誤以為隨便翻開一本書來讀，就能達到理想的目標。

《傻傻讀書的笨蛋》所強調的重點之一，是閱讀習慣並不重要，方法才更重要，因此請務必記住，閱讀量無法改變人生，技巧才能改變人生。

但是在一般讀者中，有八成左右的人還擺脫不了傻讀書的笨蛋，再怎麼閱讀，也創作不出一本書、改變不了人生。能透過閱讀開始從商、創作新內容或撰寫書籍等，都是脫離傻讀書的笨蛋，進入活用閱讀、運用閱讀的層次，我想替這些人喝采。

至今仍有許多人無法脫離單純閱讀，真正完成閱讀的人，必須能創造些什麼、寫出什麼，甚至開啟某個課題，任何內容都好。

許多人脫離不了單純閱讀，是因為閱讀法還停留在最初階，而且從未想過要脫離，生活沒有目標，也沒有刺激。並不是沒有效果更好、更強的閱讀法存在，但他們卻毫無興趣，也不想嘗試。

一九七〇年代到一九八〇年代，有一陣子相當流行速讀法，卻從未有人利用這個方法開創耀眼成就。其實，學過速讀法的人多看不見速讀法的效果與影響，大概因為如此，才從某一刻起對其他閱讀法也心生失望。

不應該嘗試幾次就輕言放棄。資訊爆炸的時代，真正的需求是好好閱讀大量的文字，因此對高效閱讀法的需求只會越來越高。務必學習符合時代需要且效果顯著的革命閱讀技巧。

讓我們一步步從習得知識並滿足於現狀的閱讀，轉向能夠創造新事物的閱讀，再從能夠創造與生產新事物的閱讀，走向建構平台，像大爆炸一樣可以不斷拋出新構想的閱讀吧！

第 **5** 章

練好閱讀基本功的集大成

「無論書再怎麼好，有一半的價值都是由讀者創造的。」

——伏爾泰（Voltaire），《袖珍哲學辭典》

（*Dictionnaire philosophique portatif*）作者

22

一小時讀完一本的量子閱讀法

說到閱讀方式，最具代表的有速讀、泛讀、精讀、熟讀等，不過，我想再加進一項——超讀。

超讀有四個意義：

1. 超越自身能力的閱讀。
2. 超越自己過去閱讀的速度與深度，達到無拘無束的高層次閱讀。
3. 超越理性，甚至是意識，進入潛意識層次的閱讀。
4. 超越平面、單線和漸進的閱讀，進行立體、並行且同時的閱讀。

閱讀天才正是以多樣的方式和極高的水準閱讀，多位美國總統經常使用的速讀，也屬於這個範疇。**量子閱讀法正是一種能超越自身能力的閱讀技巧，使超讀得以實現，為針對泛讀的最強閱讀法，只需要三週，就能提高閱讀能力三至十倍以上，也是經過實證的閱讀法，**已經訓練五千多人成為閱讀天才。

成功是專注力與反覆學習的產物

學習與閱讀的本質並無不同，尤其在「運用大腦進行」這一點幾乎完全一致，與任何體能活動或各種行為相比，學習和閱讀更需要高度的專注力。

專注力強的學生，在學習或閱讀上都有好表現。當然，在運動或執行任務上，也沒有比專注力更重要的事情了，所以有不少人認為，任何成功與成就和專注力息息相關，相較於性向或才能，專注力更為重要。《異數》（*Outliers*）一書作者麥爾坎．葛拉威爾

（Malcolm Gladwell）也直言：「成功是驚人的專注力與反覆學習的產物。」

許多擅長閱讀的教授，都具有異於常人的專注力，無論是在時間上或空間上，都能瞬間讓身體、情緒或精神保持專注。時間彷彿在這一刻暫停，感受變得異常敏銳，想法也變得清晰、豐富且具有彈性，這時，大腦便進入了最佳狀態，也可以說是意識高度專注的「超意識狀態」。

傳統的速讀法或日本強調的閱讀法，主要著重視覺感知過程，大量訓練視幅擴大或眼球運動，並且只強調這一部分，其實這只是閱讀行為中的某一面而已。**閱讀同時使用到視覺感知過程與大腦認知過程，不過閱讀的本質在於大腦的認知，比起視覺感知更為重要。**

閱讀能活化大腦，有助成績、專注力和業務力

量子閱讀法是新開發的閱讀技巧，全面考慮到閱讀活動的兩個層面——大腦和視覺，相較於視覺的感知過程，更強調大腦的認知過程，也就是思考。

書本內容透過視覺進入大腦，經過視神經後，首先匯集於大腦後方專門處理視覺訊息的枕葉（occipital lobe），再經由視丘（thalamus）傳遞至負責思考與判斷的前額葉（prefrontal lobe）。前額葉整合訊息後，進行分析、判斷，並下達行動指示，最終落實為意識。

測量玩家在遊戲時的腦波，會發現人類思考過程中最重要的前額葉，在此刻並未活化，看電視也有相同現象。從結論來說，玩遊戲和看電視會麻痺人的思考能力，是最機械化且末端的行為。由於人們只是盯著螢幕，絲毫沒有自發思考的時間，所以前額葉會停止運作。

反之，在閱讀時前額葉最為活躍，閱讀是能活化前額葉的行為。人類之所以會成為

萬物之靈，正是因為前額葉，而閱讀是最能活化前額葉的活動。我不推薦漫畫書的原因也在於此，因為漫畫有大量圖案，前額葉的活動受限，又代替人類完成想像，所以閱讀漫畫時，前額葉無法如閱讀書籍般活躍。

擅長閱讀的孩子，不但成績好、專注力強，日後長大成人也會擁有良好的業務能力，原因與大腦密切相關。沉迷遊戲或長時間收看電視的孩子，訊息經常停留在中途，無法傳遞至前額葉，長久下來，腦迴路的神經系統便因此受損，也可以說是大腦的恆定性（homeostasis）受到破壞。一旦發展到這個地步，孩子容易成為散漫、效率低落的人。

閱讀速度等同思考的速度

閱讀是視覺的感知行為與大腦的認知行為兩者的結合。其中，更重要的是能對讀過的書本內容加以推論、結合、分割、創造與思考的大腦認知行為，所以影響閱讀速度與理解度的最大關鍵，在於大腦的速度，而非眼睛的速度。

再怎麼訓練眼球，提升視覺感知文字的速度，如果大腦無法配合視覺的速度理解、推論與思考，就稱不上是完成閱讀。也就是說，**閱讀的本質不在於解碼文字，而是大腦的思考**。

仔細想想，我們並非閱讀眼中看見的一切，而是閱讀大腦可以充分思考的內容，從這點來看，大腦的思考能力正是閱讀的本質，也是最重要的功能。

無法徹底發揮大腦思考能力的人，最大的特徵是眼球回視（regression）現象，指眼球回到之前讀過的部分，一看再看，是一種不良的閱讀習慣，會反覆閱讀已經讀過的文字。閱讀能力越低落的人，特別是新手讀者，越容易發生眼球回視，但自己沒有意識到此現象。

閱讀的速度等同於思考的速度，缺乏想法或思考能力嚴重落後的人，即使攤開書本閱讀，且眼睛確實看見文字，大腦也完全無法思考，沒辦法理解書中的內容。

閱讀是大腦的活動，不完全是眼睛的活動，因此強調訓練眼球的傳統速讀法，自然是再危險不過的方法。即使如此，速讀法還是有一定的效果，對於閱讀速度相當慢的人來說，速讀法無疑是沙漠中的綠洲。

近年來，許多韓國人開始對速讀法感到厭煩，視其為過氣的閱讀法，可能是個人主觀的想法，或認為速讀法是專為日本人量身打造的技術，不過最根本的原因，在於速讀法的訓練過度偏重眼球或視幅。

透過訓練，可以一目十行

前文提及閱讀是大腦的活動而非眼睛的活動，我們需要更深入地認識閱讀與書本。以人們經常閱讀的書來舉例，在辨識文字時，最重要的是文字的哪個部分呢？若將文字分為上下兩個部分，哪一部分對眼睛辨識文字發揮更重要的作用（見圖表 5-1、5-2）？

哪一種讀起來更輕鬆、更容易理解呢？想必多數人會回答讀文字上半部（圖表 5-2）會比較輕鬆。如果只閱讀上半部文字，也完全可以理解內容，那麼為何要讀完所有的文字，耗費個人的資源呢？由此可見，一字不漏地閱讀所有文字不僅沒有必要，並且是缺乏效益的行為，閱讀法也必須從同樣的道理切入。

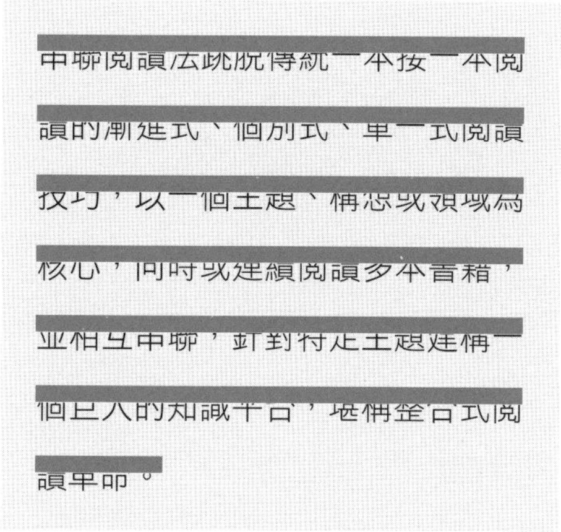

圖表 5-1　遮住文字上半部時

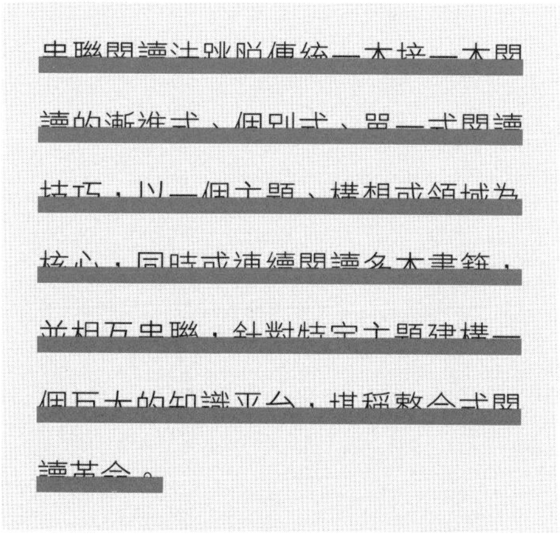

圖表 5-2　遮住文字下半部時

能夠一目十行的閱讀高手，不是與生俱來的天賦，就是透過後天訓練，以最符合效益的方法閱讀。能夠一次閱讀兩、三行，甚至是三、四行以上，將整本書讀完的人，必定是發現如何用最有效率的方法讀完整本書的人。

我們並非生來就會閱讀，人類也不過是數千年之前才發明閱讀的。這個發明使大腦精密的結構重新排列組合，思維方式得以延伸，進而改變整個人類物種的智力演化。在人類歷來的發明中，閱讀堪稱是最卓越的一項……

——改寫自《普魯斯特與烏賊》（*Proust and the Squid*）

這是《普魯斯特與烏賊》作者、美國兒童發展專家瑪莉安・沃夫（Maryanne Wolf）所說的話。人類不是為了閱讀而創造的物種，書籍是人類的發明，人類發明的書籍又創造了人類的大腦。這個驚人的事實是閱讀的祕密之一，真正了解的人卻不多。

英國劍橋大學曾經針對人類的閱讀行為進行一項有趣的實驗，請先閱讀以下文章：

根據劍橋大學的研究結果，
一個詞彙中的文字，以何種序順排列並不重要，
最重要的是第個一字和最後個一字放在正確位的置上。
其他字文就算部全亂放一通，
也不會造成你讀閱的阻礙。
因為人類的腦頭不是一個字個一字閱讀，
而是把詞彙成當一個體整來判讀。

完全可以正常閱讀和理解內容吧！這個研究明確證實，在閱讀時，一個字一個字讀最浪費時間，也是最不必要的行為。其實人們閱讀時，是將詞彙當成一個整體來讀，如果以此為基礎再稍加訓練，就能將一行文字或多行文字當成整體來閱讀，也就是量子閱

讀法追求的目標。

簡單來說，量子閱讀法就是「大腦多維空間閱讀」（brain hyperspace reading），讓大腦瞬間進入多維空間的狀態，達到一次閱讀多行文字的效果，比傳統閱讀速度更快。

我們都在平面的思考狀態下閱讀，所以速度與專注度相對低落，然而轉變為立體的思考狀態，或者將大腦轉變為多維空間的狀態後閱讀，就能發揮出過去平面思考下無法想像的驚人力量。

科幻驚悚電影《藥命效應》（*Limitless*）的主角艾迪·莫拉（Eddie Morra），是一個截稿日在即，依然寫不出任何字的小說家，還被女友拋棄，過著頹廢的魯蛇生活。某天，他接觸到一款號稱能一〇〇%發揮大腦功能的新藥。他吃下藥後，果真一眨眼就寫完一本書，又擁有無窮無盡的精力，閱讀速度還快得驚人。

量子閱讀法就像電影中的新藥一樣，能喚醒大腦沉睡的能力。

強調多種感知和立體的閱讀

量子躍遷（quantum jump）是物理學的用語，由奠定量子力學基礎的德國物理學家普朗克（Max Planck）所倡導，指當量子從某個狀態進入另一個狀態時，就像跳樓梯一樣瞬間跳向另一層階梯，不同於連續地緩慢發展或改變，量子躍遷是瞬間且飛躍性的發展或變化。

量子吸收能量變成另一種狀態時，會在一定的程度下急速改變，其中量子吸收能量的狀態稱為「激發態」（excited state），釋放能量的狀態稱為「基態」（ground state）。

量子閱讀是指在量子吸收能量的激發態下閱讀，能輕鬆又快樂地閱讀一本書，也能節約大量的時間與精力。而一般閱讀則相當於基態，是耗費更多時間、更辛苦的閱讀方法。

量子閱讀與其他閱讀法最大的差別，在於盡可能減少對眼睛的依賴，最大程度依賴大腦，也更強調多種感知和立體的閱讀。

傳統閱讀是平面且漸進的閱讀，以粗淺的理解為主，較著重意識層次和表面的理解。量子閱讀是深入至潛意識層次的閱讀，著重立體、同時和內在的理解。活用量子閱讀能改變大腦的思考結構，將平面的思考轉變為立體的思考。

閱讀並非讀眼睛所看見的，而是讀大腦所思考的，如果思考得夠多，一次閱讀的量自然也會增加。改變閱讀的模式，就能引起一場閱讀革命。

閱讀是思考，是用大腦進行的活動，而非眼睛。閱讀的本質不在於文字的判讀，而是大腦的高層次思維，所以閱讀不是解碼而是思考，停止眼睛運動或視幅擴大運動，專注於強化大腦的訓練和運動吧！

	意識層次的閱讀	潛意識層次的閱讀
基礎	眼睛	大腦
主要活動	理解	思考
思考型態	平面	立體
閱讀類型	漸進	同時
理解型態	表面	內在
閱讀深淺	淺層閱讀	深層閱讀

圖表 5-3　不同層次的閱讀對大腦思考結構的影響

23 內化知識的抄寫閱讀法

人們經常誤以為抄寫閱讀法就是單純抄下書本內容的閱讀法，其實，抄寫閱讀法是極其繁重、複雜且艱深的閱讀法，是將自己的文字與構想寫成書的寫作閱讀法，執行上並不容易。

抄寫閱讀法並非單純閱讀、理解，並記下重要內容的閱讀法，邊閱讀邊記錄只是其中一部分的方法，但多數人誤以為這個做法等同於抄寫閱讀法，這點令人深感惋惜。

在我使用過的閱讀法中，抄寫閱讀法是最好的方法，這樣說甚至還不足以形容它的好。由於抄寫閱讀法是閱讀前人書籍，藉以開創未來並創造新想法和構想的閱讀技巧，所以也可以稱為法古創新*閱讀法。

* 十八世紀韓國的文學家朴趾源提出的觀點，指從過往的經驗來發展和創新。

抄寫閱讀法由五個階段構成，是相當審慎且嚴謹的深層閱讀訓練法，依序為：

1. 立志：主觀意見
2. 解讀：閱讀理解
3. 判斷：取捨選擇
4. 抄寫：謄寫記錄
5. 意識：意識擴張

第一階段：立志

立志階段是進行閱讀前的階段，丁若鏞曾提出以下主張：「凡抄書之法，必先定己志。」

丁若鏞表示，在閱讀前必須有事前準備的階段，相較於漫無目標的閱讀，事前做好預覽，不論是對閱讀的理解還是速度皆有幫助。

因此第一階段正是閱讀前的預備階段，一邊概略瀏覽書籍，一邊檢視自己的主觀意見，藉此確立自己的志向，我稱之為立志階段。

第二階段：解讀

這個階段人們一般會稱做閱讀，不過我稱之為「解讀」。

解讀就是一邊閱讀和理解書本內容，一邊探詢真正意義。丁若鏞強調的閱讀，並非「牆面而立」的囫圇吞棗式閱讀，而是在每個階段都竭盡全力，這種閱讀也是我們應該追求的。

讀書者唯義理是求。若義理無所得，雖日破千卷，猶之為面墻也。

——〈詩經講義序〉

第三階段：判斷

第三階段是思考階段，我稱之為「判斷」，在這個階段不是被動接受讀過的內容，而是主動追查、斟酌、批判與衡量。必須廣泛考察和深入剖析，找出書中的意義。不過並不因此停滯不前或自滿，而是要進一步與自己的志向相互參照，建立判斷的標準，以取當所取，棄當所棄，也可以說是取捨或選擇的階段。

吾自數年來，頗知讀書，徒讀雖日千百遍，猶無讀也。凡讀書每遇一字，有名義不曉處，須博考細究，得其原根。

抄書之法，吾之學問。先有所主，然後權衡在心，而取捨不難也。

——〈寄游兒〉

——〈答二兒〉

這個階段是以個人想法為標準進行取捨的階段，因為在此階段讀者會產生許多思考，所謂學而不思則罔，思而不學則殆。

我運用抄寫閱讀法改變人生，卻也是後來深入研究抄寫閱讀法，才發現其中竟然涵蓋令人訝異的原理，可見其內涵超乎想像。

抄寫閱讀法中包含六種深層學習的過程，包括：閱讀、寫作、思考、產出、精緻化*（elaboration）與後設認知†（metacognition），發現這點令我大為驚奇。

* 幫助學習者記憶的學習策略。
† 對個人的認知過程進行思考。認知過程包含：記憶、感知、計算和聯想。

第四階段：抄寫

在閱讀過程中，當然可以將好的篇章、深受啟發的內容、核心重點及必須記錄保存的部分謄寫下來，不過這種書寫並非真正的抄寫。閱讀與思考後再動筆記錄，才是「抄寫階段」的起始。

抄寫與記錄的重要，不只是因為沒有抄寫，就難以記在腦海裡，更重要的原因是抄寫會使讀過的內容烙印在大腦中，能活化大腦、促進大腦運作。

在抄寫階段，動手記錄是最重要也最富有意義的過程，將挑選出的內容與個人見解動手抄寫在筆記本上。

抄寫閱讀法不是單純記錄的閱讀法，因為在此階段之前，必須先經過深度思考和做出取捨的過程，才會進入親手記錄的抄寫階段。因此思考和取捨可說是抄寫閱讀法不可少的過程。

凡得一書，惟吾學問中有補者採掇之，不然者竝勿留眼。雖百卷書，不過旬日之工耳。

——〈答二兒〉

第五階段：意識擴張

謄寫記錄的階段並非最後階段，必須經過最重要的第五階段，才算是完整執行抄寫閱讀法。

第五階段是整合目前為止思考和抄寫的所有內容，創造出個人新的見解、意識或知識，我稱之為「意識擴張階段」。此階段強調的技巧是針對個人認知的思考，也就是後設認知學習過程。

過去沒有任何一種學習法涵蓋此階段，意識擴張階段的執行過程，不僅能大幅超越傳統閱讀法與學習法的深層理解，也是涵蓋現代教育學中強調的「後設認知學習法」的深化認知過程。

跳脫被動理解書本內容，藉由一連串的過程，衡量書本內容並生成個人的判斷，再加上抄寫記錄所有過程的內容，最後才進入對個人知識、個人見解加以思考的後設認知深層學習過程，也就是意識擴張階段。

透過這個過程，讀者得以反覆探尋個人本質與志向，進而擴張閱讀的範圍，達到深層學習的效果，而不是只停留在書本的內容。更重要的是，這個階段可以讓讀者將書中的內容轉化為個人的文字與構想，所以抄寫閱讀法也可稱為「寫作閱讀法」。

抄寫閱讀法的五大祕密

讓一本書再生為個人文字與構想的抄寫閱讀法，也稱做寫作閱讀法，其中隱藏著令人驚訝的五大祕密。

1. 涵蓋後設認知學習法。現代教育學中強調的後設認知學習法，在抄寫閱讀法的第一階段與第五階段都有運用到，能更深層理解書本內容，即使只閱讀一本書，也能獲得極大的效果。

2. 包括腦科學中強調的輸出（out put）與精緻化行為，兩者皆有助於長期記憶的強化。想要記住學過的內容或看過的書，就必須將內容轉存為長期記憶。要在大腦留下長期記憶，最好的方法便是輸出與精緻化。這是除了抄寫閱讀法外，其他閱讀法中沒有出現的行為。

3. 是腦科學最重視的動手閱讀法。閱讀書本後，將個人的看法、信念與內容謄寫在筆記本上，不僅有助於加強記憶，也能將知識烙印在大腦，能活化大腦，還能重塑腦迴路。簡單來說，只要動手就能改變大腦，抄寫閱讀法就是可以改變大腦的閱讀法。

4. 將閱讀前的助跑納為第一階段，不僅有助於加快閱讀的速度，也能提高理解力。在立志階段概觀所有書籍，對下一階段的解讀會有很大的幫助。實際進行抄寫閱讀法，將可在一天內輕易讀完十本書，效果超乎想像。

5. 是超越閱讀法程度的最高學習法。深入分析抄寫閱讀法，會發現其中的閱讀行為涵蓋思考、創造與後設認知，書寫的動作涵蓋輸出、精緻化與摘要整理。更重要的是，抄寫閱讀法網羅各種得以將個人文字與構想再造為新事物的技巧，即使是讀專業書籍，抄寫閱讀法也是最好的閱讀技巧與學習法。

24 擴大知識串聯的編輯工學閱讀法

松岡正剛說：「希望人們別將閱讀過度解讀為了不起或崇高的行為。」藏書六萬本的松岡正剛，或許在年輕時就已經讀完一萬本以上的書了。

他認為閱讀是一種編輯上的互動，所有人閱讀或寫書的原因，都是為了溝通。他主張**人們應當跳脫「作者是發信人，讀者是收信人」的想法，將閱讀過程中的作者與讀者，想成雙向的互動和溝通**。

我完全同意他的看法，在這本書中介紹的串聯閱讀法，目的就是要跳脫讀者單方面接收的閱讀模式，讓讀者成為創作者或發信人。

增加與世界的連結

身為編輯工學家的松岡正剛，將編輯工學定義為處理溝通過程中，各種資訊編輯的一個新興研究領域，主要處理人與人之間或人與媒體之間的溝通，並且研究溝通過程中資訊編輯如何產生。相較於形式上的資訊處理，更著重於有意義的資訊編輯過程，松岡正剛主要的研究目的，在於分析與預測人們的視角和觀點，在溝通過程中如何被形塑與改變。

十五世紀左右，人們的閱讀型態從朗讀轉為默念，因此正如加拿大教育學家麥克魯漢（Marshall Mcluhan）所言，當時「潛意識」或「下意識」的領域趁勢出現並逐漸壯大。

松岡正剛的閱讀早已脫離傳統模式，是在閱讀行為上有著個人堅持的閱讀天才。對他而言，**閱讀不是將資訊或知識放入大腦記憶區塊中記憶與理解的行為，而是放入大腦編輯區塊的編輯行為**，因此，必須增加與世界的連結，打造多個進入開放世界的入口。

如何執行編輯工學閱讀法？

編輯工學閱讀法不限定閱讀的領域，不論讀何種領域的書籍，皆能在閱讀的同時進入無窮無盡的書中世界。

選定書後，要為書本內容做筆記與製圖（mapping）。不過，怎麼製圖呢？和筆記又有什麼不同呢？首先準備多本筆記本，從西元一萬年前開始標示年代，一直標示到現代，完成一份歷史年表，並且在每個年代之間空下適量的頁數。當正在閱讀的書中出現年代時，將內容謄寫在對應的歷史年表筆記上。

製作歷史年表筆記後，接著製作引用筆記。大部分的讀者，在閱讀過程中若看見喜歡的句子，都會謄寫在筆記本上，松岡正剛不止於此，而是思考要將什麼樣的內容填入哪一個項目。這種模式做出來的引用筆記，雖然起初只有寥寥數行，但當數量累積到一定程度後，就能看見驚人的加成效果。

當完成一本內容充實的引用筆記後，接下來讀書就不再是一本接一本的個別閱讀，讀者會忽然發現，從不同書上摘錄的句子或段落，彼此間都有某種程度的連結，這便是串聯閱讀的開端。

松岡正剛正是使用這種閱讀方式，落實增加連結的編輯工學閱讀法。其中的核心在於打造多個進入開放世界的入口，與串聯閱讀法中建立平台的原理如出一轍。當然，在實際的執行過程中，串聯閱讀法確實是略勝一籌。

松岡正剛廣泛閱讀各領域的書籍，分別列舉「筆記」、「強調」、「內容分類」、「引用對象」等項目，謄寫在不同的筆記本上。經過一段時間，他發現即使作家或書籍不同，書中的句子或段落，也能劃分進相同的項目或接近的項目中，驚訝之餘也感到相當有趣，因此他愈發渴望閱讀更多書籍。

松岡正剛在獨創的編輯工學閱讀法創立了一個理論——書要三本串聯在一起讀。在書店看書時，如果有喜歡的書映入眼簾，他會在兩旁各拿出一本書，三本一起閱讀。利用這種方式，讀者將可訓練如何選出自己心儀的三本書，也是泛讀術的開端。

泛讀術的三大技巧

編輯工學閱讀法正是一種以書讀書，逐漸擴充到無限大的泛讀術，其實這種閱讀法相當複雜。松岡正剛告訴大家三個閱讀技巧：

1. 盡可能同時或在某個時期內閱讀類型相近的書，不僅可以讀得更快，也更容易理解。
2. 以書讀書。書與知識最初創造時是彼此串聯的，儘管書的內容是針對不同的讀者群所寫，然而書本身就有廣泛的關聯。這種像八爪章魚一樣，串聯相關書籍來閱讀的方式，稱為互文性*（intertextuality）。
3. 選擇可以與許多書籍產生關聯的著作來閱讀。在眾多書籍中皆可散發光芒

＊透過其他文章來構成文章的內涵。舉例來說，作者參考其他文本的內容，引用或轉譯放入創作中。讀者閱讀時會同時參考其他文本。

的書，稱為「鑰匙書」（key book）。以鑰匙書為基礎，便能創造出半格狀（semilattice）結構，又稱半網狀或半重疊結構。半格並非層次分明的樹狀結構，而是各式各樣要素交錯連接的網狀結構。

閱讀不是神聖的行為，而是過上成功人生的工具

編輯工學閱讀法與串聯閱讀法最大的差別在於，創建知識平台。編輯工學閱讀法是針對大量閱讀開發的閱讀法，不過效果也僅於此，但是串聯閱讀法的目標不是泛讀，而是超越每本書的程度，最終建構知識平台，發揮知識或構想發電站的功能，不斷重新創造嶄新且超乎想像的想法。

相較於編輯工學閱讀法，串聯閱讀法追求的是閱讀價值與功能的最大化，是更高階的閱讀法。乍看之下兩者頗為相似，不過從追求的目標到運作原理和過程，兩者內涵截

然不同。

編輯工學閱讀法確實是相當優秀的閱讀法，然而在最終未能建構激發思考的知識平台，也缺乏能超越書本知識，融合知識與構想的原理與祕密。

泛讀不過是串聯閱讀法的副產品之一，串聯閱讀法的最終目標，在於透過平台的建構引發知識大爆炸，最大程度地擴大閱讀效果、價值與功能等綜合效能。

我們必須明確記住，不將閱讀當作是神聖或極其特殊的行為，而是看成是使自己成長、使生活更加滋潤，最終過上成功人生的工具。

松岡正剛留給人們忠告：閱讀永遠伴隨著危險的因素。根據閱讀力量與技巧的不同，閱讀可以是良藥，也可能是毒藥，甚至不少人的閱讀還不足以成為良藥或毒藥，因此人們才需要學習更好的閱讀法。

25 同時讀多本書的主題式閱讀法

一九〇二年出生於紐約的艾德勒，身兼哲學家與作家的身分，也是哥倫比亞大學與芝加哥大學的教授。他強調大學內的通識教育應著重古典閱讀，他也為廣泛的讀者寫書，而這正是日後成為閱讀法名著的《如何閱讀一本書》。

他很早就發現，自己身為名校生菁英的姪子無法好好閱讀一本書，如果連世界頂尖大學的學生都不能讀懂一本書，那麼對於平凡人來說是否更加困難呢？

為了提高讀者的素養、富裕讀者的內心，他曾出版五十四卷的文學經典選集《西方世界的經典名著》（*Great Books of the Western World*），不過他並未就此停歇，日後也出版教授閱讀方法的著作。

高階閱讀的層次與內涵

艾德勒針對渴望成為高階讀者的人撰寫閱讀方法書籍，並且在書中介紹至今仍廣為使用的主題式閱讀法。然而，看著許多作家與讀者沒能徹底理解主題式閱讀法，卻又將它分享給更多讀者，令我感到惋惜。

艾德勒說：「不少人認為，寫與說是積極的行為，讀與聽是被動的舉動，實際上，讀與聽也必須積極找出資訊。」正如棒球場的捕手，為了接住投手丟出的球，必須全神貫注與靈活移動，讀者也必須達到這種程度。

艾德勒認為，根據目的的不同，可以將閱讀行為區分為知識導向閱讀與理解導向閱讀，無論哪一種情況，閱讀都是一種「發現」，所以如果不了解其中的方法，終將難以執行。艾德勒說閱讀有四個層次。這裡使用「層次」，是為了和閱讀「類型」有所區分。較高的層次將會吸收和累積較低層次的內涵，所以最高層的第四層次閱讀法，會包含前面三個層次的閱讀法。

第一層次：基礎閱讀

最初的層次是「基礎閱讀」，也可以稱為「初階閱讀」、「初級閱讀」或「基本閱讀」。此層次是在國小階段的學習，針對完全不懂閱讀與寫作的兒童，幫助他們學會基礎的閱讀與寫作，因此稱為「基礎閱讀」，是程度較為初階的閱讀。第一層次也可以說是為日後正規閱讀預做準備的閱讀準備期。

第二層次：檢視閱讀

閱讀的第二個層次是「檢視閱讀」，最重要的關鍵字是「時間」。在一定時間內完成目標明確的閱讀，同時充分掌握書中內容，是該層次的閱讀目的，不過並非是在短時間內隨意瀏覽的閱讀，而是必須懂得建立一套系統，根據該系統挑選部分內容跳躍閱讀。

檢視閱讀又稱「組織式略讀」、「系統式略讀」或「閱讀前的暖身閱讀」。換句話說，就是透過目錄、摘要與略讀等方式，大致掌握全書的整體內容，是一項對挑選書籍相當有幫助的閱讀技巧。

第二層次的檢視閱讀，正是檢視「這本書的結構如何」、「這本書寫了哪些內容」、「可以區分為哪些部分」等問題的閱讀。

第三層次：分析閱讀

閱讀的第三層次是「分析閱讀」，比前面兩個層次更複雜，也需要讀者付出更多的努力。

分析閱讀是最完整的閱讀，透過這項技巧，能深入閱讀自我成長、實用書或大眾知識圖書，將書本內容轉化為個人知識。想要讓符合個人需求的書籍完全變成自己的智慧，必須徹底閱讀、理解與消化，所以分析閱讀是相當積極主動的閱讀方法。

由於分析閱讀強調高度理解，所以不適合單純吸收故事或資訊的閱讀。想要提高分析閱讀的能力，得經過三大階段。每個階段又有數條閱讀規則，共十一條規則。

首先，分析閱讀第一階段有四條規則：

1. 無論讀什麼類型的書，先從書封前後的文字中找出對全書內容的概述。
2. 大致掌握該書內容後，用兩到三句話描述這是本什麼樣的書。
3. 講述該書的核心內容，說明這本書是如何有序地編排與維持一致性，繼而構成書。
4. 找出自己有問題的地方在哪裡。

第一階段的目標是掌握全書結構，第二階段的目的是解釋書本內容：

5. 找出重要的關鍵字，以此為線索深化理解。

6. 發現作者希望傳達的命題。

7. 閱讀一連串作者的論證。論述的段落中會含有導出結論所需的根據和原因，因此要先找出敘述論證的主要段落。如果沒有發現這樣的段落，應先在各個段落中，找出揭示命題或構成論述的要素或句子，像拼圖一樣拼湊出作者的論證。

8. 判斷與探討自己有待解決的問題是什麼，尚未解決的問題又有哪些。

如果說分析閱讀的第一階段是為了掌握概要或全書結構，第二階段是解釋內容，接下來的階段目標是批判：

9. 在完全理解作者所要主張的內容前，不妄下判斷，只有完全理解書本內容的讀者，才能獲得批判的權利，也才有提出批評的立場。當然，這也是讀者的另一項義務。我們應該先對書本內容有正確的理解後，再針對該書表示贊成、反對或保留的態度。

10. 反對必須條理分明，責難則大可不必。
11. 反對意見必須是可以解決的。艾德勒認為撇開誤解和無知，大部分的反對意見都可以解決。

第四層次：主題式閱讀

艾德勒提出的第四層次閱讀技巧，正是主題式閱讀，用一句話來解釋，就是比較閱讀法，不是閱讀一本書，而是針對同一主題，同時閱讀多本書籍。

主題式閱讀跳脫比較多本書籍的閱讀，以讀過的書籍為線索，主動發現和分析書中沒有明確處理的主題。

必須先解決「同一主題指的是什麼」、「該讀什麼書才好」等問題。由於主題式閱讀的特點在於逐步提高閱讀的程度，較高層次的閱讀法會包含前面的所有層次，所以先決條件是檢視閱讀或分析閱讀。

在進行主題式閱讀時，不可將重點放在每一本書上。主題式閱讀重點不在於閱讀的行為，讀者與讀者個人的興趣才是最優先的。

主題式閱讀共有五個階段。第一階段是發現與主題相關的內容，全面檢視與主題相關的作品，找出與自己想要探究、想要解決或感興趣的主題有高度相關的內容。

第二階段要求作者妥協，可以想做是讓書籍作者用讀者的語言，這一點是一般閱讀和主題式閱讀最大的差異。

針對主題式閱讀的第二階段再進一步地說明。一般閱讀多是讀者全然接受作者的語言，當讀者接受書中作者關鍵字的使用方式時，讀者將受限於當下所讀的書籍，難以跳脫。而主題式閱讀的目的，就是讓作者用讀者的語言表達。

主題式閱讀之所以困難，原因就在於它不是徹底理解一本書的閱讀法，而是同時整合多本書，跳脫書中的主題，延伸出原書中所沒有的新主題，並嘗試理解與分析。因此，這不同於一般閱讀使用作者的語言來理解，必須讓作者用讀者的語言發聲。

當讀者陷入作者的框架之中，用作者的語言閱讀時，即使讀者能理解眼前這本著作，也難以理解另一位作家的著作，因此讀者自然無法獲得有助於廣泛理解目標主題的引導或分析。

主題式閱讀的第三階段是聚焦問題。避免被動接受書中的主張與內容，由讀者自行決定詞彙的使用方式，甚至由讀者自己創造命題，最大程度運用書本內容。讀者為了找出更有效解決自身問題的辦法，經常運用不同書中的內容與命題，艾德勒認為，讀者不妨先思考一連串的問題，再分別從不同的作者與書籍中尋找解答。

第四階段，當不同作者對於問題的解答互相牴觸，或出現三種以上的解答時，梳理出爭議的論點。

第五階段是分析不同書籍對該主題的論證，進行最終檢視，此時應透過兩個問題來驗證：

1. 我所找出的內容與發現的答案，是真實的嗎？
2. 這些內容與答案具有什麼樣的意義？

單純回答這兩個問題還不夠，想要掌握最基本的真相，並且邏輯縝密地向其他人闡明，就必須要有辦法解釋出每位作者對該問題提出不同解答的原因，還必須明確表明出處。唯有經過這一連串的過程，才能說是完整的論點分析。

艾德勒主題式閱讀的主要目的，在於從各個角度理解特定主題，為此必須聚焦問題、整理與找出論點，進而論證分析，**以「讀者自己的力量」去發現和分析書中沒有明確處理的主題，最終找出自己渴望的答案**。這種閱讀技巧絕非讀者一開始就能得心應手的技巧，應是閱讀天才們在大量閱讀的過程中，自然而然掌握的技巧。

坦白說，讀者必須先成為閱讀高手，才能執行主題式閱讀法。不過可惜的是，主題式閱讀法是追求什麼目標的閱讀法？是透過什麼方法和階段進行？真正了解的人屈指可數。如果讀者學不會或不了解程度較高的閱讀法，那麼程度較低的閱讀法將充斥在世界上。反之，當世界上滿是程度高的閱讀法，程度較低的閱讀法或閱讀法書籍自然不會有立足之地。

主題式閱讀法需要高度的閱讀功力、理解能力、思考能力和大量時間，不是任何人都能立刻落實。然而串聯閱讀法是任何人都能輕鬆且立刻執行的閱讀方法，也不必非得具備高深的閱讀功力，新手讀者有初級的效果，高階讀者也能得到與實力相當的成效。

主題式閱讀法必須對書籍有深層的理解，才能達到期待的閱讀目的，不過串聯閱讀法可以藉由串聯與整合，產出各種知識與構想，而不是透過理解。

兩種閱讀法的成果也有所差異。主題式閱讀法僅止於尋找一個解答，串聯閱讀法為創造新的大數據，找出更多解決方案，甚至近一步建構平台，奠定大量閱讀的基礎。

艾德勒介紹過四個問題，主張無論讀者閱讀什麼書或如何閱讀，都必須嘗試提出並解決四個問題：

1. 這本書整體來看是關於什麼方面的書？
2. 書中具體的敘述是什麼？如何敘述？
3. 這本書的內容是否全都值得相信？或者哪些部分可以相信？
4. 書中內容究竟具有什麼意義？

最後，艾德勒警告，電視或遊戲等人為的外在刺激就像毒品，將使人類的精神逐漸麻痺。艾德勒也向讀者呼籲，應主動追求精神上的成長才是最重要的事。如果不朝這方向努力，無論在知識上、精神上，還是道德上，發展與成長都將面臨停滯，而最終將會成為死亡與消滅的開端。

請記住，積極的閱讀行為有它的價值，也可以造就生活上的成功。不僅如此，優良的閱讀能激勵我們，使我們獲得無限的成長。

<table>
<tr><td colspan="3">第一層次
基礎閱讀</td></tr>
<tr><td colspan="3">第二層次
檢視閱讀</td></tr>
<tr><td rowspan="3">第三層次
分析閱讀</td><td>第一階段 概要</td><td>規則一：摸清全書架構
規則二：掌握整體內容
規則三：概括核心與組織
規則四：尋找爭議點</td></tr>
<tr><td>第二階段 解釋</td><td>規則五：掌握主要關鍵字
規則六：發現命題
規則七：尋找論證
規則八：檢視解決要點</td></tr>
<tr><td>第三階段 批判</td><td>規則九：正確理解後判斷
規則十：條理分明的反駁
規則十一：解決反對意見</td></tr>
<tr><td>第四層次
主題式閱讀</td><td colspan="2">第一階段：發現主題相關內容
第二階段：要求作者妥協
第三階段：聚焦問題
第四階段：決定論點
第五階段：論證分析與最終檢視</td></tr>
</table>

圖表 5-4　艾德勒主題式閱讀

26 累積創造能力的編輯式閱讀法

許多人誤會編輯的本質與原理，所以我特地放進這個閱讀法，這個行為就是所謂的「編輯」。

在主張「編輯即創造」的人當中，最具代表的人物當屬賈伯斯、麥爾坎・葛拉威爾與韓國文化心理學家金珽運。

日本思想家柄谷行人，曾以令人拍案叫絕的方式，形容日本文化。

日本接受了一切，所以什麼都沒接受。

他又稱日本文化是水庫文化，意思是所有文化都像水庫一樣，是匯聚在一起而形成的。擅長東拼西湊，似乎成為日本的實力。

金斑運教授創造「編輯學」一詞，說的也是「編輯即創造」。在人們沒有意識到的同時，世界萬物依然持續組成、解構、重構，這一切的過程正是他所定義的「編輯」。

正如電影剪輯師剪接毛片，編輯出一部部帶給觀眾感動與故事的電影，每個人也以各自的方式，編輯世界上的萬物與意義，金斑運教授統稱這種編輯方法為「編輯學」。其實在編輯學之前，早已存在融通、整合、結合、協作等類似的概念，這些都是我們耳熟能詳的詞彙。如果說融通、整合太泛泛而談，那麼編輯學可以說是以人類為主體所進行的一切自主編輯行為。

金斑運教授主張編輯即創造，創造行為必須是遊戲，這種充滿趣味的創造方法正是編輯學。**世界上的所有創造，都是已存事物的另一種編輯**。這句話說得沒錯，天底下沒有新鮮事，因此所有的創造就是編輯，編輯即創造。

編輯即創造

從事閱讀的目的，便是為了更加擅長編輯。閱讀不僅能讓人在精進「編輯即創造」上，獲得所需的一切資料，又能發現精進的方法，甚至還能預測最終結果的成功機率。

為什麼用不同的方式對車禍現場目擊者提問，得到的回答會有所不同？因為提問對編輯和扭曲目擊者的記憶，會造成一定程度的影響。

即使目睹相同的意外，用「汽車發生交通意外的時候，速度大概多少呢？」和「汽車相撞的時候，速度大概多少呢？」兩種提問最後得到的答案也不同。問題中的微小差異讓受訪者重新編輯、扭曲記憶，聽到後者的問題時，給予「速度較快」的回答。

美國心理學家伊莉莎白．羅芙托斯（Elizabeth Loftus）透過實驗證明這個事實，並且命名為「錯誤訊息效應」（misinformation effect）。她提到歷史是由歷史學家所編輯而成，人生也是記憶扭曲編輯出來的結果。這種說法某種程度上是正確的。

人們稱之為「創造」的驚人編輯能力，究竟從何而來？答案是積累的能力。許多人讀再多書，依然無法真正進行編輯或創造的原因，就在於偏重個別閱讀卻讀過就忘。誰還記得五年前讀過的書本內容呢？甚至一個月前讀過的書，也早忘了書中的內容，因此即使閱讀了一輩子，依然原地踏步。

德國是世界上哲學與社會科學發展最興盛的國家，其中的祕密就在於積累。在德國，有著名為「檔案館」（archiv）的資料積累傳統。

金斑運教授能夠成為優秀的創造家、編輯和知名作家，祕訣在於留學德國的期間，以編輯式閱讀法讀書，這是一種能源源不絕創造新的價值、文化與構想，也最適合知識創造的閱讀法。

他認為閱讀或學習等於數據管理。他說自己在德國所學並非心理學的專業知識，而是學習的方法。他踏遍柏林眾多的圖書館、博物館、名為「檔案館」的資料室，用自己的雙腳學習。

金斑運教授最擅長的正是資料的積累與分類。無論週末還是夜晚，他都會前往研究所，將所有資料整理進電腦數據庫。在這個過程中，他創造一套獨特的分類系統，讓任何人都能在輸入資料後自動分類、整理完成。

每當閱讀時出現新內容，他一定會分別整理進電腦數據庫裡，隨著資料的積累，這個過程不但變得越來越有趣，也讓他像玩遊戲般樂在其中。

只要腦中出現某個主題或構想，他便立刻在自己的數據庫中搜尋，相關的內容與數據也就隨即出現在眼前。經過這一連串閱讀、整理、分類、重構與編輯的行為，他發現了兩個優點：

1. 生成網狀知識。撰寫簡單的報告時，只需要整理重新分類的數據即可。
2. 能夠使用數據的元語言*（meta-language），也就是能任意拆分、融合、改變知識，調整資訊與資訊的關係。

* 指討論或研究語言本身時，使用的語言或符號。

要實現這個目標，必須先累積合理規模的數據。當累積到一定的程度形成大數據後，接下來的閱讀就會如魚得水。閱讀不再只是閱讀，而是進入了編輯、創造、重構與再造的領域。

金珽運教授也是自然而然領悟與實踐這個祕密的閱讀天才之一。對他而言，學習就是閱讀大量書籍、累積龐大的數據，接著自由串聯這些數據，在他看來，這就是一種編輯，過程正是學習。

善用索引，只讀自己需要的部分

金珽運教授有一個想法令我印象深刻：書沒必要從頭讀到尾，那是浪費時間。

遠古時代的所有書籍都是卷軸，必須從頭讀到尾，發明卷軸正是為了這個目的。

然而今日人們所閱讀的書並非莎草紙卷軸，約在四世紀左右，人類採取簿籍

（codex）的樣式製造書籍，為書籍的樣式帶來巨大革命。

製造簿籍樣式的書籍，是為了方便找出自己需要的部分來閱讀，正是金教授所實踐的大數據雛型，不妨用「索引」（index）的概念來理解。索引是按照一定的順序另外排列書中重要單字、項目或人名等的目錄，方便日後快速查找，所以過去又稱為「通檢」。

在書籍不多的時代，由於沒有可以再次閱讀的書籍，所以每本書都是從頭讀到尾，一讀再讀。不過現在情況完全相反，書籍太多，琳琅滿目，為什麼人們還在用過去的方式，像看卷軸一樣的閱讀呢？從頭到尾追隨作者敘事與框架的人，每次閱讀必定急於遵循作者的理論，無法從中擺脫，讀者個人的創造思考、新的構想或獨特知識，也絕對無法加以編輯或創造，更別說是產出。

設定閱讀的目標、主題與有待解決的問題，並貫徹串聯閱讀法的許多閱讀天才，不會從頭到尾讀完一本書，而是**穿梭於千千萬萬本書，只閱讀與主題相關的部分，從中尋找解決方案，並創造新的事物**。

不要拘泥於閱讀的框架，讓我們打破框架的閱讀吧！這正是串聯閱讀法的核心。

27 透過串聯創造價值的整合式閱讀法

生活在第四次工業革命的人工智慧時代，你的閱讀方式還停留在第一次工業革命使用的方法和技巧嗎？如今該是改變閱讀法的時候了。其實現在也已經有些晚了，不過與其後悔，更應該立刻尋求變化。

我們通常都有種強迫症，認為既然要做，就要創造最棒的內容、最好的產品，然而更重要的是，如何串聯這些內容或產品。透過串聯形成的網路，能夠創造更多連結與價值，可以說，一切都與串聯脫不了關係。

《線上百科全書》（*Interpedia*）和《維基百科》（*Wikipedia*）在相近時期誕生，最終《線上百科全書》失敗，而《維基百科》獲得成功，正是因為《線上百科全書》依然維持由一個人獨立撰寫內容的系統，但是《維基百科》可讓許多人一同編輯內容，在此過程中，內容自然而然地連繫起許多人。

《維基百科》創造了一個能建構平台的系統，讓使用者可以編輯其他人的文章，並且自然而然與他人建立連繫。在串聯形成的瞬間，任何人都想像不到的新世界就此展開。

知識、價值與構想不斷再生

知名天才商業策略家，也是哈佛大學商學院教授的巴哈拉特・阿南德（Bharat Anand），呼籲人們跳脫內容的陷阱，強化連結。他表示，如果過去最重要的成功公式是「創造最好的產品、最棒的內容」，那麼新的成功公式，應是進一步思考如何將使用者連結產品的功能，擴大周邊的機會。也就是說，他建議人們應當盡早跳脫「創造最佳產品與內容」的陷阱，將目光轉向串聯與整合創造的巨大加成效果。

整合式閱讀的原理正是如此，不是一本接一本讀完和理解的閱讀，而是串聯大量書籍同時閱讀，建構巨大的平台，使網路效應最大化，各種知識、價值與構想不斷再生。

出租住宿民宿的網站 Airbnb 和優步皆是網路效應最大化的案例。過去飯店經營最重要的是建造一間新的飯店，Airbnb 卻選擇另一條路，將重點放在連結需要空間休息的人與提供休息空間的人。優步也是以相同經營理念獲得成功。

閱讀也必須如此。比起習得大量新知，更應該將閱讀的重點放在串聯過去讀過的內容，閱讀能力與閱讀量將快速提升。

使用的閱讀方法不同，最終達到的程度將有天壤之別。一味閱讀大量書籍，學習相關知識與資訊的人，只是一個好的讀者，然而閱讀書籍後，能串聯與主題相關的知識與資訊的人，可望成為閱讀法專家、閱讀法書籍作家或創造新閱讀法的鼻祖。

當知識與資訊獨立存在時，無法成為武器，然而彼此串聯成一個平台時，就能成為強大的武器。整合式閱讀是同時閱讀與一個主題相關的多本書籍，強調串聯而非單純比較的閱讀實踐方法和技巧。

整合式閱讀在書籍撰寫上能發揮最大的效果。一般讀者由於沒有著書立說的機會，或許感受較不深刻，不過如果是有書籍出版經驗的作家，肯定感同身受。

即使是讀者的身分，整合式閱讀也能讓你成為一位聰明的讀者。當你擅長閱讀與特定主題相關的書籍後，不妨試著以該主題為核心，大量閱讀彼此毫無關聯的其他書籍，可以幫助你達到串聯與建構的閱讀效果。

28 打造更高境界的平台閱讀法

我強調量子閱讀法與抄寫閱讀法不可或缺，以及非得介紹編輯工學閱讀法、主題式閱讀法、整合式閱讀法等各種閱讀技巧的原因，都是因為這一項閱讀技巧——串聯閱讀法，或稱平台閱讀法。

平台（platform）的詞源意義相當簡單，指的是建造於鐵路旁，位置高於地面的寬闊月台，方便車站內乘客上下車。不過，今日平台的意義多有延伸，廣泛使用在不同場合。

猶如站在巨人肩膀上，躍進發展

如今，平台與產品是完全相反的概念，平台意指讓某個產品的販售者和使用者進入同一個空間，或是吸引他們進入同一空間內，針對新的價值與問題，創造最佳解決方案的地方。

我認為羅馬之所以擁有千年以上的歷史，祕訣就在平台的建構。在羅馬，無論出生在什麼地方，任何人都能成為羅馬市民。成為市民後，就能在羅馬建構的平台上發揮自己的力量。

羅馬人的智慧不如希臘人，經濟能力不如迦太基人，體力不如日耳曼人，然而羅馬人的專長，正是讓所有市民站在同一個空間，也就是在名為羅馬的平台上，創造新的價值與力量。

當羅馬累積到一定財富後，並未用來建造城牆，而是修築所有人都能使用的道路。據說羅馬修築了長達八萬公里的道路，這些道路形成一個平台，造就促進羅馬發展的加成效果。

建起城牆，任何人都無法自由出入，交流因此受阻，不過道路修築完成後，人們能自由往來，不僅希臘人能往來，日耳曼人也可以進出。人群的流通，自然地促進交流與交會的空間出現，連帶產生加成效果。

網路稱不上是平台，儘管網路有助於平台的建構，但平台還包含網路之外的內容。舉例來說，教育也屬於一種平台，某人過去終其一生累積的成就與知識，使人們得以站在「巨人肩膀」上接受教育，往更高的境界發展成長。這正是教育的平台，也多虧這個良好的平台，人類的學問與技術才得以持續發展。

同時閱讀多本書，提高層次

以最能說明平台效果的「駐紮營地」來說明。

過去攀爬高達八千八百四十九公尺的聖母峰時，會紮營在海拔兩千公尺處，從未有人對此提出疑問或感到好奇，只是依照慣例將營地駐紮在低海拔處。這是錯誤的平台事例。當有人開始駐紮在海拔四千公尺處，甚至更高的六千公尺後，成功登頂聖母峰的登山客每年增加數百名，登頂成功率瞬間上升百倍以上，這便是成功建構平台的效果。只要搭建良好的「營地」平台，登頂能力與成功登頂者的數量就會瞬間提升。

最大程度提高閱讀能力與閱讀量，正是等同將營地平台建構在閱讀上的效果。平台閱讀法中最重要的，就是與一本接一本讀的漸進式閱讀法背道而馳，必須同時閱讀多本書籍，提高閱讀的層次。正如營地平台案例帶給人們的教訓，人們必須進行同時閱讀多本書籍的訓練。

再回到聖母峰營地的故事。一般人可能單純地認為登山是從最低處，一步一腳印爬上巔峰，實際上沒必要那麼做，就像要爬上八千八百四十九公尺的高山，只要搭建好位在六千公尺處的營地，再往上爬兩千公尺就能攻頂。如果營地駐紮在錯誤的位置，就得花費更多倍的精力與時間才能攻頂。

這麼說來，將營地駐紮在六千公尺處，就萬無一失了嗎？不是的，目標不是從海拔〇公尺爬上山頂，而是征服聖母峰，所以最重要的不正是登頂嗎？

建構平台的串聯閱讀法也是以此原理進行閱讀。為什麼人們非得從頭到尾一字不漏地閱讀一本書，讀完跟主題毫不相關或毫無必要的部分？一字不漏的閱讀方式，究竟是為了什麼目的呢？

平台閱讀的原理就等同於聖母峰登頂的決定性關鍵——「營地」平台的建構。我們何不只讀最需要、最重要的部分，尤其是與主題高度相關的部分，串聯這些內容，建構一個知識平台呢？

第 6 章

閱讀法革命，勢在必行

「讀書不見聖賢，如鉛槧傭。」

——洪應明，《菜根譚》作者

29

AI時代顛覆世界，閱讀法也要順應翻新

如今是資訊爆炸的時代，也是人工智慧的時代。人工智慧能輕而易舉超越人類的知識，甚至自主深度學習，將人類遠遠拋在腦後。身處在這樣的時代，若身為人類的我們繼續用傳統的閱讀技巧，慢慢地一本讀過一本，失去的恐怕會比收穫的更多。

現今，知識日新月異且爆炸成長，一個人的思考能力必然有限。若你是一個閱讀能力強大且閱讀量驚人的讀者，情況稍微好一些，不過也存在局限。

閱讀、思考、提問與討論的閱讀技巧，是過去工業化、資訊化時代所需要的閱讀技術，如今時代已經改變，人工智慧搭載深度學習走在世界的最前端，然而人們卻依然使用與一百年前毫無差別的閱讀技巧和程度讀書，現在需要嶄新的革命式閱讀技巧了。

只要對串聯、整合、建構平台的閱讀技巧稍加學習與練習，你也可以成為傑出的平

台領袖。為什麼非得漸進地一本讀過一本呢？為什麼不願意同時閱讀多本書籍，將內容串聯在一起呢？要只靠自己的腦袋理解和思考到什麼時候呢？該是運用大量記載先進知識與資訊、深層思考與意識的書籍，創造加成效果的時候了。

30 只憑知識就能變現的時代過去了

在過去的工業化、資訊化或知識產業時代，知識的習得就是金錢、競爭力與成功。然而，如今人們正踏入人工智慧的時代，甚至可以說早已生活在這種時代之中，單憑知識的習得，無法創造財富或提高競爭力。

只憑藉著知識的習得，無法創業也無法成功，更無法創造新事物或有所發明。因為現在早已有五花八門的事物被創造出來，**如今最需要的，是藉由串聯大量知識的網路，建構一個如同「知識發電站」的平台。**

人們必須跳脫單純獲得知識的閱讀，邁向自由串聯知識、積極建構知識平台的閱讀。如果你至今的閱讀方式，還是以獲得知識與資訊的單層次閱讀為主，未來的閱讀必須轉為建構、塑造、開發知識平台的多層次閱讀。這是一場閱讀法革命，歷史上許多偉人早已利用串聯並建構知識平台的方式進行閱讀了。

這正是本書所要強調的事實，撰寫本書的目的，就是為了幫助所有人成為建構平台的閱讀大師。

31
一本接著一本閱讀的效果最差

過去在閱讀時，如果沒有從頭到尾讀完一本書就翻看其他書，大概會遭到嚴厲的責備，甚至會被認為是好高騖遠的讀者。不過現在時代有所不同，環境也已經改變，一本接一本的閱讀是效果最差的方式。

如果想透過閱讀過上更美好的生活，必須跳脫一本讀過一本的漸進式閱讀，改採同時閱讀多本書籍的網狀閱讀（network reading）、整合式閱讀，並且在閱讀時必須有著明確的目的。

不過，閱讀方式的最終決定權還是在每個人手上，如果你偏好一本接一本讀的漸進式閱讀法，我也不會阻止你，只是希望能讓更多人知道，**世界上存在著許多閱讀技巧，其中整合式閱讀已經受到廣泛地使用，並且有著相當顯著的效果。**

同時閱讀多本書籍的技巧，並非是閱讀天才或閱讀高手才懂得使用的高難度技巧，反而只要經過練習與訓練，任何人都能輕易辦到，從此以後，閱讀的過程將變得更為積極，也會像尋寶一樣充滿樂趣。

如果你有固定的閱讀時間，別再只用來讀一本書，不妨同時閱讀同一主題的多本書籍，串聯彼此，必能獲得更多的知識，甚至還可能進一步產出書中所沒有的其他知識。這正是串聯閱讀法最大的收穫。

32 懂得利用知識創新更能創造財富

為什麼 YouTuber 能創造可觀的收入？原因在於他們是內容創作者，須持續發想與創造出新的文化內容。比起專注在同一件事情上的人，懂得持續創造新事物的人，當然能產生更多收益。

傳統的閱讀正類似專注於同一件事情上的情況，而串聯閱讀法是不斷創造新事物的閱讀。如今，創造新知識和構想，當然比學到一百個既有的知識更好。同理，透過串聯、建構與產出的閱讀，會比單純獲得知識與資訊的傳統閱讀法更好。

相較於學富五車的人，擁有獨特想法的人，最終能利用與眾不同的構想闖出一番大事業並成為富豪。類似的案例屢見不鮮，臉書創辦人、銀行發明人、網際網路發明人和 YouTube 創辦人等，這些創造或開發出過去不存在的商品或服務的人，都是從一個特別且驚人的構想開始發跡。

身處人工智慧的時代，我們需要的閱讀方式不是知識習得，而是知識創造，要達到這個目標，就必須推動串聯、建構、產出的創造閱讀革命。

33 別讓過去的框架阻礙了你

框架，英文為「frame」，指將一個人認知世界和他人的方式或方法公式化。人類為了在生活中更輕鬆、更快速且更有效率地思考，通常會不假思索地對各種事物做出直覺判斷，這時所使用的思考公式正是「框架」。

最典型的框架範例是水瓶中的水，看著同一水瓶中的水，有的人認為「水還有一半」，有的人認為「水只剩一半」，其中的差異正是因為兩人的框架不同。

人們對於第一次接觸的物品或對象，總需要花費許多時間掌握與認識，因此為了有效應付這種情況即創造出框架。舉例來說，「便宜沒好貨」就是一種思維的框架，帶有這種框架的人，常擔心東西太便宜會不會有瑕疵。

抱持著「不必大量閱讀，好好把一本書讀完才重要」、「一定要廣泛閱讀才行」的想法都屬於框架。框架的形成，源於當事人過去至今的所見所聞與經驗。

丁若鏞也有著框架：「讀一種書，兼得旁窺百種書，仍可於本書義理，曉然貫穿。」詩聖杜甫的框架也與此類似：「讀破萬卷書，下筆如有神。」讀完一萬本書，寫作能力將達到神的境界。

相當有趣且神奇的一點是，閱讀量越大的人，越是強調大量閱讀的重要性；相反地，越是不閱讀的人，越不會認知到閱讀的重要性。

大量閱讀的人可以突破閱讀的臨界點，真正跳脫框架，進入高層次閱讀，不再受限於過去一本讀完再讀下一本的框架。這些人超越單層次的閱讀框架，將框架提升至具有創造力的泛讀，能以更多元的方式同時閱讀多本書籍。

不只是艾德勒，讀完圖書館藏書的眾多閱讀大師，也都體認到大量閱讀的重要性，並帶著不同於以往的框架繼續閱讀。

第 7 章

創造財富、改變世界的閱讀領袖

「一切偉大的著作都有令人生厭的章節，一切偉人的生活都有無聊乏味的時候。」

——伯特蘭．羅素（Bertrand Russell），英國哲學家

34 不是讀書，而是讀遍整座圖書館：愛迪生

僅上學三個月就遭到退學的愛迪生，如何登上人類史上最偉大發明家的地位？又是如何在三十多歲成為當時最知名的人物？他的成功祕訣是什麼？

其實，愛迪生沒有完整接受過正規教育，家庭情況不好，小小年紀就必須四處打工賺錢，先是在火車站內兜售糖果與報紙，後來成為一名電報員。在如此惡劣的生活環境下，他不斷磨練自己，最終成為當時最偉大的發明家。

眾所周知，愛迪生從小因為嚴重的高燒與疾病引發失聰，我認為，正是因為他患有聽覺障礙，才會對書本有著與眾不同的熱情。他也曾在傳記回憶錄中提及這段往事。在高燒與痛苦消失後，讓愛迪生沉迷於閱讀的契機，就是聽覺障礙。他困於聽覺障礙的絕望中，只有底特律公共圖書館（Detroit Public Library）才可以讓他暫時逃避。他從

書架上的第一本書開始，一本本讀完所有書，不是單純的讀「書」，而是讀「整座圖書館」。當時他正好拿到在愛爾蘭都柏林出版的《佩妮圖書館百科全書》（*The Penny Library Encyclopedia*），也是從頭到尾一字不漏地讀完。

前文提到，比爾．蓋茲、賈伯斯與馬斯克的共通點是喜愛閱讀百科全書，也提及閱讀百科全書是掌握與訓練串聯閱讀法的最佳教材。是偶然嗎？發明大王愛迪生讀了那麼多書，為什麼偏要強調他從頭到尾讀完百科全書呢？

其實他也採用串聯閱讀法，用這種方式閱讀的人有一個共通點，就是喜愛閱讀百科全書。許多與愛迪生有關的書籍，都能證明他是串聯閱讀法大師的事實。特別是他不分領域閱讀，甚至讀遍底特律圖書館，尤其廣泛涉獵百科全書、文學、哲學、經濟學和社會學等書，進行串聯與建構的平台閱讀。除此之外，他的無數發明也是平台建構的證明。

對於一個患有聽覺障礙的少年來說，遊戲的種類必然受限，也無法和朋友們一起追趕跑跳。聽覺障礙使愛迪生無法從事其他娛樂活動，也許只有閱讀能讓他投入大量時間並燃燒熱情。

愛迪生喜愛各種類型的書籍，似乎也懂得將彼此串聯與分享，建構閱讀平台。據說在他小時候，便已讀完英國學者羅伯特．伯頓（Robert Burton）的《憂鬱的解剖》（*The Anatomy of Melancholy*），這本書程度超出兒童的能力範圍。他也跨領域閱讀牛頓的《自然哲學之數學原理》（*Philosophiæ Naturalis Principia Mathematica*）。

正如愛迪生所言，他讀完了整座圖書館。然而有個不可忽略的重要事實，他確實讀遍圖書館的藏書，卻不是一本接著一本閱讀，而是如比爾．蓋茲、巴菲特、丁若鏞等人，採用串聯閱讀法。

我不是讀書，而是讀「整座圖書館」。

這句話忠實呈現了串聯閱讀法的核心原理與運用方法。

結合不同的想法，產出新構想

就像拿到《佩妮圖書館百科全書》，將整本書全部讀完的愛迪生一樣，串聯閱讀法大師皆熱愛閱讀百科全書，原因在於百科全書有著五花八門的資訊與知識，讓人彷彿置身百貨公司。

對於喜愛購物的富豪而言，沒有其他地方比商品琳琅滿目的百貨公司更好。串聯閱讀法與富豪的購物體驗有異曲同工之妙，追求的是最貴、最好的產品。抄寫閱讀法的「抄」字，有另一個深層的意思，指蠻夷的擄掠行為，其實與串聯閱讀法的原理也有一定程度的關聯。

當蠻夷擄掠某個村莊時，不可能家家戶戶的將所有物品都帶走，只會掠奪村莊內最有價值或最重要的物品。站在蠻夷的立場，最好的策略自然是盡快掌握最重要的物品所在，並將這些物品帶走，與其他掠奪的物品組合成一批貨物後，才能賣出高價。

奧地利管理學專家彼得·杜拉克（Peter Drucker）稱讚愛迪生是所有高科技企業的

典範。他如此說道：「構想的價值取決於如何使用這個構想。」不妨將這句話當中的「構想」置換為「閱讀」：

> 閱讀的價值取決於如何使用這個閱讀。

你想透過大量閱讀成為知識豐富的人？還是想透過閱讀創造更好的事物、產出更好的構想，成為串聯閱讀專家？

愛迪生的發明祕密就在於串聯，用另一種方式來形容，就是「匯流革命」（Convergence），更絕妙的說法是「平台革命」。他將自己深入閱讀大量書籍的內容、資訊與構想加以串聯和結合，建構名為「發明」的平台，一旦建構出平台，日後即使看見毫不相關的事件或物品，也能導向新的發明。

知名專利律師愛德華．狄克森（Edward Dickerson），曾形容愛迪生的大腦是「繽紛的萬花筒」，因為愛迪生一動腦，就能結合各種不同的想法，源源不絕產出新構想，他也表示這些構想非常優秀，大部分都可直接申請專利。

透過整合改革人類的生活

愛迪生藉由串聯和整合創建平台，得以不斷推出新構想，發明不必燃油就能發亮的白熾燈泡，讓整座都市如白晝般明亮，也因此發明可以播放的留聲機，帶動新改革，還發明比馬匹力量更強大的電池，開啟人類文明的新篇章。

愛迪生的發明，也許就是將散落在不同地方的龐大知識，或偉大文學家的想像力，加以串聯和整合最後得到的結果。其實他本人曾說過，自己的構想皆源自於莎士比亞的想像力。

美國暢銷作家邁可・J・蓋爾伯（Michael J. Gelb）與愛迪生曾外甥女莎拉・米勒・卡蒂考特（Sarah Miller Caldicott）的著作《學習愛迪生的五種創新思考法》（*Innovate like Edison*）寫道，愛迪生說過自己的許多構想並非獨創，而是來自於莎士比亞的構想。愛迪生又說：「只要莎士比亞願意，也絕對可以成為發明家，他似乎能看穿所有事物的內在。」

如果他投入發明，又會想出多少令人驚奇的發明呢？他呈現這項發明的方式，肯定也會是充滿獨創性的吧？

愛迪生認為，如果不是莎士比亞，大概沒有別人能提出這樣的構想了。

從這裡我們也可以學到，當我們**以串聯閱讀法建構新的平台時，才賦予了閱讀的價值，也提高閱讀的活用程度**。

串聯燈泡知識，建立電燈系統

許多人都以為愛迪生發明了燈泡，不過這是錯誤的事實，早在愛迪生之前，已經有人發明出燈泡，而且還不只一、兩個人。不過當時對於燈泡的許多知識與技術尚未整合，功能價值較低，因此早先發明電燈的人並不知名。

想要在一般家庭中使用燈泡，必須將電線、發電機、電源供應器、電信設備等各項獨立的發明串聯為平台。愛迪生和早先發明燈泡的人不同，他將燈泡相關的知識、技術串聯其他知識和系統，進而建構出人類能在日常生活中使用電燈的系統。由此可見，愛迪生正是平台建構大師。愛迪生也將相同原理應用在閱讀，因此學習與創意的效果超乎常人。

我們不應該停留在個別閱讀帶來的獨立知識，而是要將知識加以串聯與整合，建構知識平台。

35 十六歲讀遍投資理財書：巴菲特

巴菲特其實是最難研究的對象，因為他是與生俱來的天才，從巴菲特的傳記，可以得知他在八歲時，就已經在閱讀父親書架上的股票書籍了。

據說他在十歲左右，已經廣泛涉獵社區圖書館中的投資相關書籍。十五歲時，幾乎已經讀完全美國所有和投資相關的書。

他在十一歲時博覽各種投資相關書籍，從中遇見如人生明燈般的書，正是價值投資之父班傑明．葛拉漢（Benjamin Graham）的《證券分析》（*Security Analysis*），這本書帶給他的人生極大的影響。

涉獵多領域，整合各種知識與資訊

在本該盡情玩耍且調皮搗蛋的八歲時，巴菲特就已經開始閱讀無趣甚至困難的股票或投資相關書籍，相當於國小一年級的學童，因為感興趣而自發閱讀股票投資書，國小三年級就幾乎已讀完社區圖書館的投資相關書籍了，實在令人驚訝。

他如此熱中閱讀，且閱讀量驚人的原因是什麼？

首先，巴菲特當時不僅閱讀與數學相關的書籍，連文學領域也廣泛涉獵，這點是絕不能輕忽的事實。在《永恆的價值：巴菲特傳》*（*Of Permanent Value: The Story of Warren Buffett*）中，巴菲特的國小二年級導師精準道出這段往事。

（巴菲特）一直是個好學生，自始至終都相當用功。我不記得他的數學有多好，但

* 引文摘自《永恆的價值：巴菲特傳》第三十六頁。

我相信一定不錯。我知道他的英文程度不錯，因為他曾經糾正過我一次，那是某個字的縮寫，他更正得對極了。

巴菲特年紀輕輕就涉獵多領域的書籍，帶給他的發展與愛迪生、丁若鏞、富蘭克林相同，能創造、開發和整合出不曾存在於世界上的事物。雖然他的專業是投資，不過巴菲特從小就展現出開創者的面貌與創造者的風範。

在就讀美國玫瑰山小學（Rose Hill Elementary School）期間，巴菲特就已經廣泛閱讀各種領域的書，累積了驚人的知識與構想，他串聯並整合這些知識與構想，創造前無古人，後無來者的成就。

他以自己的力量發行馬報，這是連一般成人都難以辦到的事。不僅如此，他也和友人一起串聯數學、賽馬、投資等知識，開發出能預測獲勝馬匹的系統。

巴菲特所擅長的，並不是創造或擁有新的知識，而是串聯與整合各種構想和資訊，創造出新的系統，也就是建構平台。

他既沒有獨占任何技術，手上也沒握有任何公司或資本，然而他懂得串聯多家公司、技術、資本與其他諸多條件，建構巨大的「投資」平台，在這個投資平台建立後，催生世界上最聰明的投資方法和原則，而巴菲特只不過是按照這個方法和原則投資。創建平台才能使大數據流通。

據說巴菲特拿到資料，一定會從頭到尾讀完。不過這些資料不是股票經紀人寫的報告，而是未加工的數據。巴菲特曾說：「這些數據多麼令人著迷。」從這句話來看，可以知道他多麼著迷於未加工的數據。透過未加工的資料，他能分析出堪薩斯城人壽保險（KCLI）和西部保險證券（Western Insurance Securities）將分別提高三倍和一倍的收益。

他之所以對未經加工的原始數據如痴如狂，是因為他知道如果能整合這些數據建構平台，就能發現任何人都不知道的新知。由此可知，巴菲特在建構大數據上，比任何人都卓越，才得以熟知某間公司可以增加幾倍的收益。

巴菲特在十六歲時，投資相關的書籍幾乎都讀遍了，其祕訣就在於他能串聯、整合與建構新的系統和平台，並建立大數據。巴菲特的這個能力令所有人望塵莫及。

許多人認為巴菲特的閱讀習慣中，最重要的是「專注閱讀」，不過單憑這種說法，遠遠無法解釋他的閱讀習慣與模式。

專注閱讀是一種選擇有興趣的領域，並沉浸於其中的閱讀方式，然而以此解釋巴菲特的閱讀習慣，不過是表面且冰山一角的闡述。事實上他的閱讀習慣，主體在於創建平台的串聯閱讀法。

巴菲特不僅選定一個主題，專注閱讀與該主題相關的大量書籍，還積極將書中讀到的知識與資訊、數據與構想不停加以串聯和整合，建構一個巨大的系統、平台與投資的原則、方法。

人們以為巴菲特只讀投資類書籍，然而他從小就廣泛閱讀文學、數學等各領域書籍，並且與一般讀者閱讀後單方面將知識放進腦中不同，而是懂得串聯和整合各種知識與資訊，開發能預測最終獲勝馬匹的系統。

巴菲特從國小階段開始就已是系統、平台開發者，我們千萬不能忘記這個事實。

36 為探究世界運作原理而讀：比爾．蓋茲

比爾．蓋茲的父母鼓勵子女從小廣泛閱讀與獨立思考，因此比爾．蓋茲從小便已是博覽群書的書蟲了。然而這點並不完全是比爾．蓋茲喜歡書本的原因。他閱讀大量書籍，是因為想更深入學習世界運作的原理。他不太常看小說，喜歡閱讀非虛構的紀實作品，更是熱中閱讀世界百科全書。他對百科全書不只是單純的喜愛，更是到了如痴如醉的程度，他的父母也表示：「沒看過那麼喜歡讀百科全書的孩子。」

從許多的案例都可以知道，他在閱讀時能超越書中內容的限制，創造出新的價值與構想，這也正是串聯閱讀法的效果。

善用分類和整理的能力

如果說，比爾．蓋茲讀完社區圖書館裡的書是因為好奇心旺盛，這樣的回答太過空洞。旺盛的好奇心許多人都有，卻沒有人像他一樣讀遍圖書館的書，也沒有能力做到。那麼，他的祕訣到底是什麼呢？

比爾．蓋茲懂得創造機會學習和強化別人沒有的能力——分類和整理書本的方法。比爾．蓋茲國小四年級在圖書館工作的時候，能力已經和圖書館館員不相上下了。圖書館館員教會他如何分類和整理大量的書籍，使他從小就習得同齡小孩從未學過，也不打算學習的分類與整理大量書籍的方法，所以才能比任何人都要早進入圖書館工作，對圖書館業務得心應手。

串聯閱讀法最看重的是同時或連續閱讀大量書籍，並且加以分類和整理的能力，這種能力較強的人們，共通點都是懂得站在巨人的肩膀上，藉此爬向更高的地方，而不是只靠自己的力量。

比爾·蓋茲也確實懂得與企業巨頭國際商業機器公司（International Business Machines Corporation, IBM）合作，聯合規模龐大的半導體公司英特爾（Intel），才能如此快速地扶持微軟茁壯。也就是說，他早已透過閱讀領悟到站在巨人肩上的道理，並且積極運用這個道理。

串聯閱讀法正是一種懂得善用巨人肩膀的閱讀。當攀登聖母峰的登山客發現新的紮營地點，在此建造絕佳的平台後，每年成功登頂的人數增加數百人。同樣地，比爾·蓋茲站在巨人肩膀建造了強大的平台，得以在一年內讀完數千本以上的書籍。

要打破傳統閱讀法的框架，最重要的是善用圖書館資源。當其他朋友還在一本接著一本閱讀的時候，比爾·蓋茲已經擁有分類與整理大量書籍的能力，也懂得在分類書籍的同時，自然而然地加以串聯、整合、分享，並從中建立平台。

許多平台領袖寫書，是因為運用自己建構的平台來閱讀大量書籍時，這些書籍將不會消失，而是完完全全成為自己的功力和實力。比爾·蓋茲也不例外，他很早就已經撰寫多本書籍，年輕時已經發行《擁抱未來》（*The Road Ahead*）和《數位神經系統—與思想等快的明日世界》（*Business @ the Speed of Thought*）等書，提出個人對未來與商業的獨到觀察。

比爾．蓋茲能夠對商業、人生與未來提出如此卓越的見解，原因在於他至今採用的都是串聯與整合的串聯閱讀法，而不是傳統的漸進式閱讀法。

比爾．蓋茲也曾表示，閱讀對自己的成功發揮了絕對的影響，不過更重要的事實在於他的閱讀帶來了多大的效果。他採用有效且觀察細微的閱讀法，是真正的平台領袖。

37 從百科全書中預見未來的發明家：馬斯克

馬斯克是出生於南非共和國的美國企業家、發明家與革命家，最大線上社群網站 Reddit 的一位用戶曾當面向他提問：「你似乎精通各個領域，是如何學得那麼快的？有什麼祕訣嗎？」

馬斯克回答。

最重要的是利用「語意樹」（semantic tree），先掌握最核心的基本原理後，延伸出樹枝的大分支，接著深入至樹葉裡。如果不這麼做，樹梢的樹葉將會一片也不剩。

他所說的「語意樹」，意思相當於串聯閱讀法最終想要建造的平台，在建構好平台後，利用平台繼續創造新的技術和構想。

美國資深科技記者艾胥黎・范思（Ashlee Vance）在《鋼鐵人馬斯克》（*Elon Musk*）一書中，認為馬斯克產出構想的技術和方法，超越美國五〇年代傳奇富豪霍華・休斯（Howard Hughes），更接近於愛迪生。

馬斯克是位傑出的發明家，利用源源不絕的創意，創造任何人都料想不到的產品，同時也是名聲遠播的事業家與企業家。多虧他的發明與事業，美國在十年內出現了數千座太陽能充電站，人們也能駕駛電動車移動，享受便利的交通系統。

發現未知的知識，尋找全新解答

馬斯克從小嗜讀成癮，他的弟弟卡姆巴・馬斯克（Kimball Musk）曾說：「哥哥每天平均閱讀十個小時，在週末甚至一天讀完兩本書。」就算全家出遊，馬斯克也經常消失，躲在書店角落瘋狂閱讀。

兒時的馬斯克下午兩點下課後，立刻飛奔到書店，廣泛閱讀各領域的書籍，直到父母下班才回家，他也因此好幾度被書店老闆趕走。國小四年級時，馬斯克幾乎已讀完學校圖書館和鎮上圖書館的藏書，他也會拜託圖書館館員多買一些書。直到再也沒有書可以讀的時候，他開始閱讀《大英百科全書》（*Encyclopedia Britannica*），並且發現百科全書有趣又實用。

對於一般讀者而言，百科全書是提供解答的書籍，然而對於馬斯克而言，**百科全書是讓人發現未知的知識，尋找全新解答的起點**。

我的結論是，想知道自己該提出什麼樣的問題，就得擴大思考的範圍。

如馬斯克所說，他更關注如何找出有待解決的議題或疑問，並且提出問題。不過他不只是關注，而是早已知道要怎麼做，才能做得更好。在離婚率極低，只有一七%的南非共和國，馬斯克的父母在他十歲那年離婚，馬斯克跟著父親生活。無論在學校還是家中，馬斯克都是獨行俠，閱讀可以說是他最好的朋友，也是最親密的家人。

許多平台領袖既是發明家，也是開發者，馬斯克也不例外，十三歲就已經獨力開發出遊戲了。因為他懂得結合跨領域的知識和構想，因此以遠低於美國國家航空暨太空總署（NASA）的費用發射火箭上太空，又能開發出速度比高性能跑車更快的電動車。

如果馬斯克的閱讀受限於傳統的框架，或許就不會有今日的成就。正是因為他的閱讀跳脫既有的框架，打破傳統的局限，不是為了閱讀而閱讀，而是為了發現問題、解決問題，所以最終才能憑藉劃時代的構想累積財富，嘗試一般人料想不到的挑戰，成為創新的標誌。

38 實踐知識整合的內容創造者：丁若鏞

韓國朝鮮時代著名儒學者、思想家丁若鏞，可說是真正的串聯閱讀法大師。能這麼稱呼他的理由太多了。他針對龐大的知識進行編輯、再造、重構與整合，這些成果如果由一個人來抄寫，得足足花上十年的時間。而他在短短的十八年內，寫出五百多卷學術著作，完成龐大的知識建構，驚人的成就大概是史無前例的。

平台領袖有著開發者、改革者、發明家、著作家、創造性技術人員等共同特徵外，更是在寫作方面能創造傑出成就的「內容創造者」。

他們所創造的成就，相當於串聯、整合、建構過去其他書中的知識，並且重新編輯與創造平台。想串聯繁雜無用的大量知識加以重新創造，最重要的是分類與整理的能力，而抄寫閱讀法正是奠定此能力的祕訣。

發現有待解決的問題，尋找解決方案

抄寫閱讀法對執行串聯閱讀有相當大的幫助，不過抄寫閱讀法不等同於串聯閱讀法，究竟丁若鏞獨創的「新平台」，具體是什麼呢？

丁若鏞強調，閱讀前要先立志，志向不明確，不會貿然閱讀。丁若鏞所提及的志向，是當前亟需解決的問題，或是希望更進一步凸顯的社會問題和議題。

立定志向後，丁若鏞會運用抄寫閱讀法寫下許多書籍中的龐大知識與資訊，再將資訊與知識加以串聯、分類、整合，建構巨大的知識組織，正是他獨創的「新平台」。丁若鏞之所以能成為其他知識分子難以超越的知識編纂者和全方位知識經營者，原因在於他是唯一成功建構個人學習平台的大師。我認為在他傑出的成就背後，抄寫閱讀法也發揮了至關重要的影響力。

在約五百年的朝鮮王朝歷史中，除了丁若鏞之外，還有許多能力傑出的偉大學者。然而在如此多的學者中，唯有丁若鏞多次提及和強調抄寫閱讀法，並且積極運用在自己的閱讀上。他也不斷地對自己的兩個兒子強調執行抄寫閱讀法的重要性。

丁若鏞的閱讀，是發現有待解決的問題，尋找解決方案的閱讀，也就是建構平台的閱讀法。過去他曾閱讀南朝梁周興嗣的《千字文》*，重新串聯、整合，編纂一本新的《千字文》，此事例能證明丁若鏞絕對是平台閱讀的大師。

《千字文》以「天地玄黃」開頭，然而運用串聯閱讀法來讀，能立刻發現內容有需要拆散和重組的必要，因此丁若鏞將相近的字詞重新串聯、整合，以「天地父母」開頭，編纂出一本新《千字文》。

* 中國《千字文》傳入韓國朝鮮後，被視為學習漢字的教材。丁若鏞根據朝鮮當地學習者的需要，重新編纂以「天地父母」為開頭的新版千字文，名為編纂《兒學編》。

沒有目標，別貿然閱讀

對丁若鏞而言根據《易經》重新寫成的《周易四箋》和《喪禮四箋》是最了不起的著作，甚至說過：「即此二部，得有傳襲之餘，雖廢之可也。」

中國最古老的經典《易經》，不是任何朝鮮人都能讀懂的書，內容也不容易理解，丁若鏞卻嘗試分析《易經》，寫出一本新書，這是朝鮮時代的眾多儒生未曾挑戰過的事，甚至比創造一門學問更困難。丁若鏞無懼挑戰，成為東方第一位根據個人興趣解釋《易經》，並且成功跨越《易經》難關的唯一一位朝鮮儒生。

丁若鏞利用平台閱讀技術，解決和分析《易經》這道難題。他先確立問題，努力建構類似問題解決方案的平台。最後，他建構出堪比攀登聖母峰紮營地的平台，也就是「爻變的發現」。

丁若鏞建構平台後，不再有解釋不清楚的地方，也沒有窒礙不通的問題，接下來的分析有如文思泉湧，滔滔不絕，也就是推移、爻變、互體、物象四種分析方法。《周易四箋》中的「四箋」，指的就是這四種核心原理。

在丁若鏞所寫的信件〈答二兒〉中，可以看見抄寫閱讀法的效果，以及此閱讀方法的概略介紹。

抄書之法，吾之學問先有所主，然後權衡在心，而取捨不難也。……凡得一書，惟吾學問中有補者採掇之，不然者竝勿留眼。雖百卷書，不過旬日之工耳。

引文中也介紹了串聯閱讀與創建平台的技巧。丁若鏞強調要先確立自己的想法，也就是不能貿然閱讀，必須先釐清「有待解決的問題」、「自己所要閱讀的主題」、「想要了解和解決的事件」後，再閱讀並做出取捨，用自己的話整理內容。必須特別注意的是，如果內容對自己要解決的問題和議題毫無幫助，根本不必多看一眼。

丁若鏞強調，沒有目標或主題的閱讀，或是為了讀而讀的閱讀，都不應該做。

然須講究考索，得其精義，隨所思，即行箚錄，方有實得。苟一向朗讀，亦無實得也。

——〈為盤山丁修七贈言〉*

在他的書信中，同樣可以看見建構平台的重要原理。

凡讀書，每遇一字，有名義不曉處，須博考細究，得其原根，仍須詮次成文，日以為常。如是則讀一種書，兼得旁窺百種書，仍可於本書義理，曉然貫穿，此不可不知也。如讀〈刺客傳〉，遇「既祖就道」一句，問曰：「祖者，何也？」師曰：「餞別之祭也。」曰：「其必謂之祖者，何義？」師曰：「未詳。」然後歸而至其家，抽字書，見「祖」字之本義，又因字書，轉及他書，考其箋釋，採其根本，掇其枝葉，又如《通典》、《通志》、《通考》等書，考祖祭之禮，彙次成書，便足不朽。如是則汝前為不識一物之人，自是日儼然為通知祖祭來歷之人。

——〈寄游兒〉

在閱讀開始前，必須先設定好「有待解決的問題」，在接下來的閱讀過程中，可能會陸續出現各種待解決或想了解的議題。丁若鏞就是這樣串聯起多本書，挑選出與主題「祖祭」有關的內容，探究其根本，蒐集零碎知識。再接著閱讀其他書籍，彙集與主題相關的內容，為所有紀錄建構一個平台，編成一本整合「祖祭」相關新知的書籍。丁若鏞直言，這樣的閱讀是相當高超的技術。

前文提到，平台領袖最大的特徵，是具備發明家、開發者、改革者、創造性技術人員等面貌，而丁若鏞也是如此。

他奉朝鮮正祖†的命令，設計名為「起重圖說」的起重機，大大縮短建設水原華城的工期。

他還研究水原華城的具體修築方法與都市基本模型，寫成〈城說〉一文，向正祖報告。水原華城的建設首度使用石塊與磚頭，因此大幅縮短了施工時間和投入的人力。原

* 收錄在《定本與猶堂全書》，文集卷一七。
† 朝鮮後期國王，一七七六年至一八〇〇年在位，修建世界文化遺產「水原華城」以紀念他的父親。

本預計花費十年的工程，能在短短二年九個月便宣告完工，這都是丁若鏞的功勞。

回到閱讀，丁若鏞在〈詩經講義序〉中說過：

讀書者，唯義理是求，若義理無所得，雖日破千卷，猶之為面墻也。

強調閱讀必須追求義理，不能沒有意義和目標就貿然投入閱讀，必須先確定好主題或有待解決的問題，設定好目標，再為了達成目標而閱讀。

凡讀書……，須博考細究，得其原根。

讀書必須先設定明確的目標，這是串聯閱讀法的第一階段。

39 瘋狂閱讀扭轉命運的街頭勞工：賀佛爾

從未接受過正規教育，終其一生過著街頭勞工生活的賀佛爾，是如何在最惡劣的環境下，憑藉閱讀成為偉大思想家？

綜觀賀佛爾的一生，他不曾擁有人們理所當然享有的時間與經濟的餘裕，能夠專注於閱讀上的時間比一般人少了許多。

他在生命中最精華的七歲到十五歲間，眼睛幾乎看不見，連一本書都沒辦法讀完。之後的人生階段，除了某些時期外，都在碼頭從事苦工。即便如此，他依然憑藉閱讀扭轉人生，蛻變為世界知名的思想家。

他能用比別人更少的閱讀時間，達到比他人更強大的智力飛躍效果，祕訣就在於他同樣是串聯閱讀法的大師。

先培養分類書籍的能力

賀佛爾出生於紐約，父母是德裔移民者。他童年失去母親，七歲失去了視力，十八歲失去了父親，從此淪為孤兒。

不幸中的大幸，在賀佛爾十五歲時，視力奇蹟般地恢復，然而他早已錯過接受正規教育的機會，沒有任何學歷。既沒有接受過教育，也沒有父母留下的遺產，賀佛爾只能忍受飢餓，輾轉在美國各地從事攤商、服務生、碼頭工人等工作，過著「工作一天多活一天」的苦力生活。

賀佛爾生活在如此惡劣的條件下，卻在四十七年後成為教授，在加州大學教授政治學，還獲頒美國總統自由勛章，有著輝煌的成就。

一位街頭哲學家、碼頭工人，竟成為全球著名的作家與哲學家，是串聯閱讀法改變了賀佛爾的人生，即使從未接受過教育，卻能在最惡劣的生活條件下改變人生。如果他是一整天有大把空閒時間的人或富翁，或許可以整天投入在吃飯和看書，最後取得耀眼的成就便不難理解。然而不能忽視的是，賀佛爾一貧如洗，整天從事苦力活，可以閱讀的時間嚴重不足，再加上體力勞動造成身體極度疲勞。更重要的是，他沒有接受過小學教育，想必難以進行程度更高深的閱讀。

他不僅缺乏大量閱讀的時間，也不具備一定的知識水準，然而他卻能夠大量閱讀，達到閱讀量的驚人成長與突破知識局限，我想，其中的祕訣就在於串聯閱讀法。

我在他所寫的名著《想像的真實》（*Truth Imagined*）中，偶然發現他的閱讀祕密。前文曾經提過，串聯閱讀法最看重同時或連續閱讀大量書籍，並加以分類和整理的能力，也提到比爾．蓋茲在國小四年級時，擔任了圖書館館員的助理，學會用主題分類其他孩子難以接觸到的海量書籍，培養出分類的經驗和能力。

令人驚訝的是，賀佛爾兒時也有著類似的經驗，身處相似環境。我在《想像的真實》中發現這個事實時，身體不禁一陣顫抖。

串聯閱讀法大師必備的能力，是先根據內容和主題分類大量的書籍，再依照主題加以串聯、整合相關知識。賀佛爾兒時身處的環境，正好有利於訓練分類書籍的經驗和能力。

《想像的真實》第一章提到，賀佛爾的母親經常將年幼的賀佛爾放在和壁櫥書架相連的桌上。在書桌上，擺有上百本父親的書，有哲學、數學、植物學、化學、音樂、旅行等不同領域的英文書和德文書。據說賀佛爾小時候非常喜歡將這些書按照大小、厚薄、封面顏色來分類。更驚人的是，不久後他便懂得根據內容來分類。

大部分孩子是一本接一本的閱讀、理解、提問和思考，然而未來成為串聯閱讀法大師的孩子，卻不是這樣閱讀，而是先培養分類各種書籍的能力。

實踐串聯閱讀法的人們，唯有在不同主題間跳躍和閱讀，才會感到舒暢，因為這麼做接下來才能分類，分類後才能串聯，串聯後才能建構一個名為「平台」的知識發電站。

克服時間不足和缺乏知識的弱點

賀佛爾在從事苦力之餘，仍利用空檔閱讀不同領域的書籍，例如：數學、化學、物理學、地理學、文學和政治學等，從不挑領域。在閱讀的同時，他一定會將讀到的內容抄寫在自己的筆記本上。這個習慣在多位串聯閱讀法大師身上也可以輕易發現。

我想，賀佛爾開始進行創建平台的閱讀，是因為他小時候身處的環境，正好有利於培養分類各種書籍的能力。他在七歲失明，沒能閱讀也無法接受教育，不過十五歲時出現奇蹟，視力忽然恢復。或許是擔心未來可能再次失去視力，賀佛爾因此一次閱讀大量書籍，加以串聯和整合，建構知識平台。

可以肯定的是，沒有人比賀佛爾更迫切需要能快速獲得所需知識的串聯閱讀法。

賀佛爾就像沒有時間準備考試的學生，只能在考前同時瀏覽筆記本和教科書。如此一來，他逐漸熟悉串聯閱讀的技巧，兒時分類各種書籍的經驗，想必在此時也發揮重要的影響力。最後，他的閱讀能力和閱讀量快速上升，克服人生中時間不足和缺乏知識的弱點。想必各位都知道，賀佛爾又被稱為「瘋狂的讀書人」，對某件事近乎瘋狂的人，都有著瞬間消化大量事物的共通點，例如：著迷於購物的人，一天內可以花台幣數十萬至數百萬購物。著迷於作曲的人，一天可以寫出好幾首曲子。著迷於書本的人，絕對不會像一般讀者般，採用循序漸進的閱讀方式，反而運用能同時閱讀多本書籍，迅速消化大量內容的技巧，我也是當中的一人。

從這裡又能得知一個重要的事實：為什麼平凡的讀者不沉迷於閱讀，平台領袖卻都是讀書狂呢？

因為當某人具備分類各種書籍的能力，達到能根據主題分類並串聯大量書籍的程度時，就足以在短時間內完成一般人望塵莫及的海量閱讀，他們有能力讀遍圖書館，甚至覺得讀百科全書比玩遊戲更有趣。唯有親身體驗過的人，才能了解箇中滋味。

串聯閱讀法大師還有另一個共通點：閱讀可以使他們廢寢忘食，就算挨餓也要繼續閱讀，並且全神貫注在閱讀上，超脫現實的所有條件和憂慮。

生而為人，必須不斷學習

時間回到一九二〇年，十八歲的賀佛爾失去了父親，由於父親是家具製造工會的成員，所以在工會的幫助下，父親的葬禮順利舉行，賀佛爾也拿到三百美元的奠儀。

如今他沒有家人、沒有房子，三百美元就是一無所有的他全部的財產。那時，在他的腦中閃過一個奇葩的想法：要前往氣候溫暖的加州，就算一輩子露宿街頭，也不會凍死。

從此以後，賀佛爾終其一生輾轉大街小巷，過上街頭勞工的生活。不過一開始的他相當大膽，直到手頭上的三百美元花光前，他在市立圖書館附近出沒，整天抱著書本閱讀。他也因此領悟一個真理：**生而為人，必須不斷學習**。這個道理使他成為一生樂於閱讀與學習的人。

教育主要的目標，不是讓人經過教育成為完成學習的人，真正的目標必須是培養持續學習的人。

在賀佛爾的眼中，真正有意義的社會是「學習型社會」，而閱讀是最輕鬆也最直接的工具。不過他也警告，千萬不能貿然學習他人的智慧，必須不斷加入自己的見解。他曾經用文學的手法來形容與平台閱讀相關的原理：

如果不能將我們的鮮血，覆蓋在前人的智慧上，這些智慧便毫無意義。

他不只是單純的閱讀，還經常思考。對他而言，思考就是將過去自己讀過的所有書籍內容，和現在閱讀的知識加以串聯與整合，用他的話來說就是「覆蓋鮮血的過程」，為相當重要的學習關鍵。

現在輪到各位了，不妨試試串聯閱讀法，建構平台吧！

第 8 章

熟能生巧的刻意練習

「讀到一本好書，就像和過去傑出的偉人對話。」

——笛卡爾（René Descartes），《談談方法》

（*Discours de la Méthodes*）作者

40 練習不靠眼睛，靠大腦閱讀

量子閱讀法和其中的技巧，其實是根據我在三年內讀完一萬本海量書籍後，大幅提升閱讀能力的經驗，再結合「閱讀革命計畫」課程中，學生的許多經驗建構而成的。

如果所有事情都用理論說明，難免會淪為紙上談兵，我們真正需要的是學會有效的方法，並且實際進行兼顧深度與廣度的閱讀。

量子閱讀法有兩個最重要的原理，分別是聯覺（synesthesia）和超空間（hyperspace）。

聯覺閱讀訓練法

透過各種方法，喚起大腦中的多重感官，使其達到整合運作，藉此最大程度提升閱讀能力，是一種能幫助我們喚醒沉睡中的各種閱讀因子與能力的訓練法。

透過量子閱讀學習的各種技巧，都是為了刺激、喚醒並活化我們幾乎不會使用到的感官，因此有相當重要的意義。

這些技巧能發揮效果，是因為人類大腦的設計，本就是用來處理多重感官的資訊，這也是我發明聯覺閱讀訓練法的原因，相較於單一感官，同時運用多種感官來閱讀或學習，效果自然更好。

右腦刺激技巧

閱讀時，刻意閉上右眼，只用左眼閱讀五分鐘或十分鐘。一開始先用右眼瀏覽整頁，經過五至十分鐘後，接下來只用左眼瀏覽整頁。兩隻眼睛的感受一定不同，右眼能順利聚焦，看見較小的區塊，反之，左眼無法順利聚焦，會看見較大的區塊。我們正是要將這種差異運用在閱讀上。

四五度閱讀訓練法

將書本翻轉四五度，會有世界隨之傾斜的感覺，此時閱讀書本，大腦的活化程度會有顯著的差異。試著將書本翻轉四五度，閱讀十分鐘吧！

九〇度閱讀訓練法

熟悉四五度閱讀後，再試著將書本翻轉九〇度閱讀。刻意製造這種閱讀環境，有助於喚醒腦中沉睡的各種閱讀因子，效果當然也相當好。

角度變換閱讀法

角度變化閱讀方法，我稱做S・O・C（Slope Orthogonal Cycle）閱讀法。具體的做法為翻轉書本九〇度，閱讀一段時間後，再變換不同的角度閱讀，像是翻轉一八〇度，再翻轉到二七〇度，最後回到原位，再重新翻轉至九〇度。每變換一次角度，都必須閱讀五分鐘左右。

藉由翻轉書本的角度，可以體驗直式閱讀和橫式閱讀，將大腦僵化的思考模式，轉化為思考能力，而且可以有效活化右腦。透過在九〇度、一八〇度、二七〇度和原位等不同角度下閱讀的訓練，能為大腦僵化的思考模式帶來改變與刺激，同時鍛鍊基本的大腦肌肉，有助於形成新的突觸*（synapse）。

人類大腦的設計，本是為了處理多重感官訊息。多重感官訊息能強化單一感官訊息的知覺，加快知覺的速度或提高認知的深度。正是因為這個原因，五感學習法才會蔚為流行。許多學生實際在讀書時，早已運用到五感學習法，比如說，有些同學邊學習邊吃巧克力，也有同學邊聽古典音樂邊念書，甚至有學生聞著香味學習的效果反而更好。

不過你可能會有一個問題：「即使訓練量子閱讀技巧，又不是變成超能力者，怎麼可能在短短三週內，達到一眼讀完一頁的程度？」

以下是我的結論。我們所閱讀的書本，並不是無意義的文字排列，而是眼睛已經讀過數千萬次，再熟悉不過的符號或文字的有意義羅列。

如果是無意義且不規則的符號排列，讀一次是無法理解的，必須非常緩慢且仔細地閱讀，耗費大量時間在理解其中意義。

不過書本並非符號或圖形的任意組合，而是由約定成俗的文字排列成完美的組合，所以書本這種媒介，就算用稍快的速度來閱讀，也完全可以理解意義。

我們必須了解從事大量閱讀的理由。唯有以量取勝，才能在「量」的基礎上，於某一瞬間達到「質」的發展。為此，我們不能花太多時間在徹底閱讀一本書上，若真要進行深度閱讀，也不能讀得太快。

量子閱讀法絕對不是要求速讀的閱讀技巧，閱讀速度提高只是附加的好處。量子閱讀法的目標在於「歪曲」大腦，讓大腦的閱讀效果更好，不過並不是欺騙大腦，而是歪曲，以喚醒大腦中沉睡的閱讀因子。

＊連接兩個神經元或連接神經元與肌細胞、腺體，是傳遞信息的部位。

超空間閱讀訓練法

閱讀天才懂得整合所有意識和潛意識，在大腦效能最好的狀態下閱讀。他們透過長期的閱讀訓練，達到一般人即使努力一輩子，也難以達到的絕佳境界。因此我建議各位使用量子閱讀法，只要經過三週的訓練，任何人都能接近閱讀天才的程度，短暫體驗絕佳境界。

閱讀天才藉由活化右腦，得以精通無意識閱讀、圖像閱讀、整合閱讀、通篇閱讀、周邊視覺閱讀。我們也必須加以訓練，因此超空間閱讀訓練法，正是為了喚醒沉睡的閱讀因子，能讓大腦瞬間進入超空間模式，最大程度提升閱讀能力。簡單來說，就像汽車從一檔換到五檔加速前進一樣，許多人都知道一檔無法達到最快速度，因此需換檔到二檔或三檔來加速，閱讀也是一樣的，如果用大腦平時的狀態閱讀，速度和能力絕對無法加快，但若能以超空間的狀態閱讀，速度將瞬間提升，彷彿是用大腦閱讀，不再只靠眼睛了。

接下來是理解的問題，理解程度的深淺影響閱讀速度。不過閱讀速度能達到每分鐘一萬字的人，如果每分鐘降低至五千字，理解程度必定大幅提升。因此閱讀速度一定要加快，是非常重要的一點。閱讀的生命不在於理解而是思考能力，速度只是幫助理解的手段而已。

我們早已習慣用平面的思考模式來閱讀，超空間閱讀訓練法能讓思考模式轉換為立體思考，有助於提高閱讀的效果。

改變大腦的閱讀技巧

量子閱讀法有各種技巧和訓練法，我想特別介紹其中一種。

我們的目的是改變大腦，能夠改變大腦的閱讀技巧，正是超空間閱讀訓練技巧，其中反向閱讀和顛倒閱讀的技巧，更是改變大腦的關鍵。

反向閱讀（Reverse Reading）訓練法，又稱R・R訓練法（2R訓練法）。技巧是拿起橫排書本，從右邊最後一行反向（reverse）讀回前面，閱讀五分鐘以上，接著再從左邊第一行順著閱讀下來。

顛倒閱讀（Invert Reading）訓練法，又稱IR訓練法。做法是將書本倒轉，從右邊最後一行開始，顛倒閱讀五分鐘以上，接著再把書本放正，一次閱讀一行或二、三行，可以的話，最好以對角線閱讀整頁。

有一點要特別注意，在訓練時一定要顛倒書本，以一行為單位閱讀五到十分鐘以上。用這種方法閱讀一定的時間後，再將書本放正，一次閱讀一行或二、三行。這樣的閱讀會使大腦的思考模式變得多元，達到非歐幾何*（Non-Euclidean geometry）的閱讀模式。大腦的不規則思考得以強化，最終改變大腦。

掌握這些閱讀技巧後，再進行前文的超空間循環閱讀訓練（見圖表8-1），你將發現自己似乎變成了讀書之神，閱讀變得有趣，也開始能享受讀書的樂趣。閱讀能力越強的高手，越能感受到加倍的樂趣。

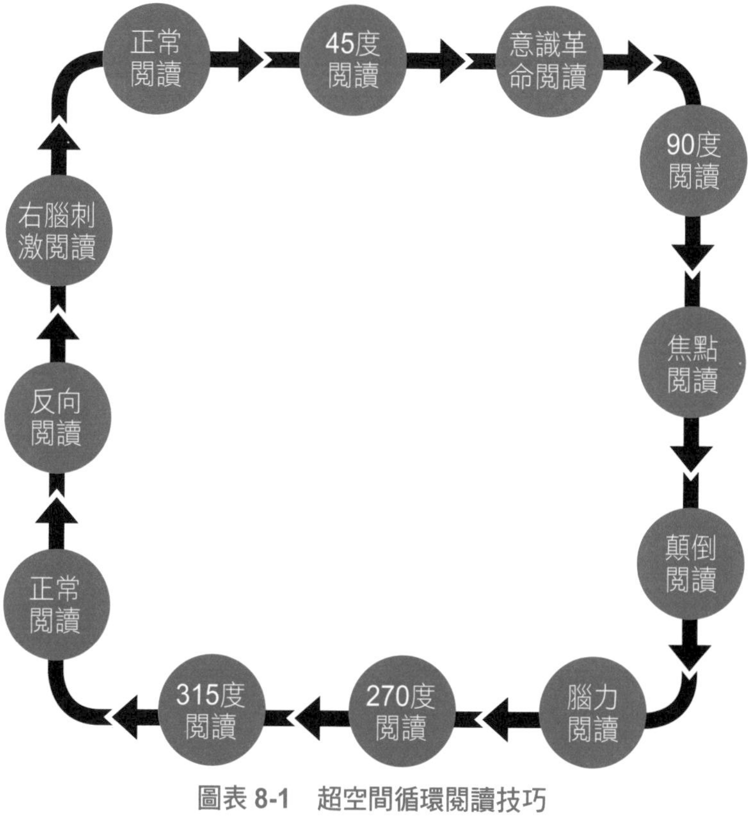

圖表 8-1　超空間循環閱讀技巧

＊又稱非歐幾里得幾何，為多種幾何形式系統的統稱，與歐幾里得幾何差在「平行公設」。

請記住，我們不是用眼睛看待世界，而是大腦。面對書本也是一樣的，**閱讀靠的不是眼睛，而是大腦，我們必須靠大腦搬移書本內容。**

你還在用眼睛閱讀嗎？相信切換為大腦閱讀，會使閱讀變得更輕鬆、快速，而且兼具深度和廣度。

41 讀過就內化為個人智慧

丁若鏞是溫故知新、法古創新的大師，他採用抄寫閱讀法，將龐大複雜的知識和學問整理得一清二楚，從而創造新的知識。透過抄寫閱讀法這項驚人的技術，五百多卷有益百姓、治理國家與救助天下的著作得以問世。溫故知新和法古創新的精神，正是抄寫閱讀法的本質。

許多人閱讀的時候，只花心思在學習並強化已知的知識，然而**抄寫閱讀法的重點在於發現新事物，建構閱讀者自身的知識、看法與主觀意見**，這點也正是抄寫閱讀法的卓越表現。

除了丁若鏞，還有一位代表人物也帶著法古創新的精神，透過抄寫閱讀法建構新知識、看法與個人哲學，留下千古名著，他就是義大利學者馬基維利（Michiavelli

Nicolo）。

馬基維利被稱為近代政治學之父，代表作有《論李維羅馬史》（*Discorsi sopra la prima deca di Tito Livio*）、《君王論》（*Il Principe*），這些正是他實踐抄寫閱讀法的成果。

他讀過古羅馬歷史學家蒂托・李維（Titus Livius）的《建城以來史》（*Ab Urbe Condita Libri*）後，寫出新書《論李維羅馬史》。他每晚閱讀大量經典，與古人促膝長談，並且摘錄這些內容，寫出歷史上偉大的政治論著《君王論》。抄寫閱讀法的原理就在於跳脫傻傻讀書的笨蛋，總能在閱讀後創造新事物。

凡抄書之法，必先定己志，立吾書之規模節目，然後就彼抽出來，方有貫串之妙。若其規模節目之外，有不得不採取者，須別具一冊，隨得隨錄，方有得力處。魚網之設，鴻則罹之，何舍焉？

——丁若鏞，〈寄游兒〉

第一階段：立志訓練法

用五個問題提問：

1. Why：用五行字回答「為什麼要讀這本書」。
2. How：用五行字寫下自己「該如何讀這本書」的想法。
3. Before：用五行字寫下在讀這本書之前，自己對這本書的想法。
4. After：用五行字預測讀完這本書之後，自己會有什麼變化。
5. Knowledge：用五行字說明自己對這本書的知識和經驗。

Why → How → Before → After → Knowledge

一開始可能很難用五行字回答，這時候用三行字來回答也是一種方法。依照自己的知識程度和思考水準來回答問題，才能長期堅持下去。

第二階段：解讀訓練法

1. 這本書的內容是什麼？
2. 書中最重要的內容是什麼？在哪裡？
3. 總結書中內容並整理重點。
4. 用三分鐘左右說明書中內容。

第三階段：判斷訓練法

在和這本書相同主題的書籍中，找出時代相近但地區不同的書，或是主題相同立場卻完全相反的書。如果是東方的書，就以西方的書為標準，當作選書的判斷依據。

假設讀的是《君王論》，不妨拿東方的君王論《韓非子》當作對照，來練習如何分辨和取捨、贊成和反對。

假設讀的是英國作家理查·道金斯（Richard Dawkins）的《自私的基因》（*The Selfish Gene*），不妨拿北愛爾蘭神學家麥格夫（Alister McGrath）的《道金斯的迷思》（*The Dawkins Delusion*）當作對照，來訓練如何分辨和取捨、贊成和反對。

接著用三到五個關鍵主題，分別寫下贊成和反對這本書的部分。

贊成		反對	
書中內容	原因	書中內容	原因
1.		1.	
2.		2.	
3.		3.	
4.		4.	
5.		5.	

圖表 8-2　寫下贊成和反對這本書的部分

最後抄寫、整理下贊成的原因和反對的原因：

1. 書中作者想表達的意思背後，隱藏著什麼樣的意圖？
2. 這本書對世界有幫助嗎？還是對世界有害？請根據書中內容，說明自己的想法。

第四階段：抄寫訓練法

進行抄寫訓練的五點指引：

1. 抄寫五段能了解該書獨到的句子。
2. 抄寫五段能掌握該書核心內容的句子。
3. 抄寫一段書中最重要的句子。
4. 抄寫五段最能表現作者主張的句子。
5. 抄寫五段書中一定要記住的句子。

將一本書濃縮成一句話的抄寫法：

1. 將書中核心內容壓縮成五句後抄寫下來。
2. 再將這五句壓縮為三句後抄寫下來。

3. 最後將這三句壓縮為一句話，抄寫下來。
4. 留到最後的那一句話是什麼？

第五階段：意識訓練法

回答關於意識階段的問題

1. 寫下自己在閱讀這本書前後的意識轉變。
2. 透過這本書和作者，為自己帶來了什麼樣的意識轉變和延伸，對人生造成直接的影響？
3. 試著將意識擴大到自己的人生和未來。
4. 試著將意識擴大到國家、民族、人類和宇宙。

5. 寫下這本書對於個人、民族和人類所具有的意義。

一本書一句話寫作練習

用一句話總結《君王論》：

「君主必須具備三點，拋棄三點。」

必須具備以下三點：

1. 由自己人馬組成的專屬軍隊和支持自己的市民。
2. 邪惡和吝嗇。
3. 能和幸運「福爾圖娜」（Fortuna）對抗的英勇「維爾圖斯」（Virtus），亦即獅子的勇猛和狐狸的智慧。

必須拋棄以下三點：

1. 市民的憎惡與輕蔑。
2. 冗兵。
3. 優柔寡斷和中立。

一加一選書練習

《圭恰迪尼格言集》（*Ricordi*）：

這本書與《君王論》齊名，作者是馬基維利的至交圭恰迪尼（Francesco Guicciardini），雖然兩人是至交，不過對於君王的看法多有出入，因此讀過《君王論》

後，務必再讀這本。

《建城以來史》：

作者是當代最負盛名的歷史學家蒂托．李維。這本書是馬基維利最喜歡的書，在抄寫完這本書後，隨即寫下《論李維羅馬史》。兩千年來深受許多讀者喜愛。

現代版抄寫閱讀法——BTMS

如果覺得上述五個階段過於複雜、難以執行，可以運用BTMS閱讀法進行抄寫。根據個人的程度輕鬆執行，才是入門時最重要的關鍵。

BTMS抄寫閱讀法是將抄寫閱讀法改良為現代版的筆記法，能在閱讀的同時，將整本書徹底內化為自己的知識。

這個方法的核心，是把閱讀（Book）、思考（Think）、思維擴張（Mind）、總結為一句話（Summary），以及進行一加一選書的過程，詳細記錄在閱讀筆記中。

許多人總是被動輸入或接受書本內容，而沒有經過深入的思索和思考，除了較為輕鬆，也已經習以為常。

在閱讀的同時，如果能運用BTMS抄寫閱讀法認真筆記，一開始雖然比較辛苦，最後卻能幫助我們深入觀察與思索，達到超越自己的思考訓練效果。相信這不僅有助於個人成長和發展，也能成為我們人生中最堅實的基礎。

書名：	出版社：	作者：	出版日期：

階段	各階段主要內容	自我評分
第一階段 閱讀 （Book）	閱讀後掌握核心內容與關鍵句的階段 ・全書的核心內容是什麼？ ・關鍵句是什麼？ ・作者的主張或看法是什麼？ ・作者想表達什麼？ ・這本書是關於什麼議題的書？ ・這本書具體有哪些內容？ ・整本書的氛圍如何？ ・這是一本洞察人生、洞察人性的書嗎？	滿意 不滿意 上 中 下
第二階段 思考 （Think）	添加個人主觀想法、思考和意見的階段 ・寫下自己的想法。 ・自己的主觀想法是什麼？ ・自己對書中的內容有什麼想法？ ・這本書存在的原因是什麼？ ・自己對這本書有什麼意見？ ・闡述對作者意見的看法。 ・你對這本書的主張有什麼看法？	滿意 不滿意 上 中 下

（續下頁）

第三階段 思維擴張 （Mind）	透過書本省思自我意識變化的階段 ・寫下自己在閱讀這本書前後的意識轉變。 ・透過這本書和作者，為自己帶來了什麼樣的意識轉變和延伸，對人生造成直接的影響？ ・試著將意識擴大到自己的人生和未來。 ・試著將意識擴大到國家、民族、人類和宇宙。 ・寫下這本書對於個人、民族和人類所具有的意義。	滿意 不滿意 上 中 下
第四階段 總結 （Summary）	總結本次閱讀，進入尾聲的階段 ・假設要以這本書進行演講，試著擬定演講題目。 ・選擇一個能說明這本書的單字或關鍵字。 ・用一句話總結這本書：一本書一句話。 ・讀完這本書後，挑選另一本要對照閱讀的書：一加一選書。	滿意 不滿意 上 中 下

圖表 8-3　BTMS 抄寫閱讀法使用方法

結語
閱讀，等同創造自己的未來

「如今，個人的時代、君主論和獨裁者的時代已經結束，所有人彼此串聯的大眾時代與人工智慧超連結的社會正式展開。無論是閱讀、經商，還是人生，任何事情都必須不斷分享與串聯，建構出站在巨人肩膀的平台。過去只有懂得移動的人才能生存，如今，在超連結的時代，懂得串聯的人才能生存。」

《動員之戰》（*New Power*）一書描寫超連結的大眾如何改變世界，造就財富和權力的轉換，以及在此過程中產生新興力量（前文引述文字不是該書作者的原話，而是我閱讀其他書本後，用自己的話重新詮釋，擴大該書的範圍和深度）。

串聯閱讀法的力量正是如此，《動員之戰》的作者傑洛米·海曼斯（Jeremy Heimans）說過：「君主的時代已經結束，超連結的大眾時代已到來！」不過我讀完這本書後，並不是一〇〇%同意書中內容，在讀這本書的同時，我也同時閱讀其他幾本主題相近的書。例如：教大家如何在超連結時代成功搶占未來市場的《智慧未來》（*The Future is Smart*），也參閱《平台經濟模式》（*Platform Revolution*），其中詳細介紹第四次工業革命的時代霸主——平台商務，並閱讀剖析谷歌、亞馬遜、臉書、蘋果與其他新興企業的成功策略與未來的《四騎士主宰的未來》（*The Four*）。我在閱讀這些書籍的同時建構出自己的知識平台，得出前文的結論。

坦白說，全神貫注在閱讀上，只為了全然理解一本書，並且學習該書中所有的知識和訊息，這種學習非常痛苦，最終得到的成果也僅限於一本書的範圍。

我無法這樣閱讀，尤其是商業管理類的書籍。到目前為止，我從未嘗試過無聊的閱讀，跟領域無關，任何領域都有有趣的書，哲學領域有，古典文學也會有，甚至是商業管理類。相反地，受到喜愛的自我成長書籍或隨筆小品，也會有無聊的書。領域不是問題，問題在於怎麼利用。

一〇〇%理解一本書的循序漸進式閱讀，不僅痛苦又無趣，還需要高度的專注力，能力一般的普通讀者更是如此。不過，如果閱讀時能一次串聯多本書籍，就算只掌握每本書兩到三成的內容，也能如玩遊戲般，讀得更自在快樂。

不必因為用這種方式讀書，沒有徹底讀完整本書而產生罪惡感，要做的是串聯世界上所有書籍，並且最大程度地活用這些書籍。

不必追求一〇〇%理解一本書，只要十本書中各掌握一成的內容，找出相關的內容加以串聯，就能達到五〇〇%以上的理解能力，新的構想和知識也將源源不絕地出現，超越相加十本書內容的程度。

運用何種閱讀法，選擇權在讀者手上，不是說了解了串聯閱讀法，以後就只用這種方式閱讀，而是務必以此為基礎，創造自己獨特的閱讀法。

世界上沒有絕對完美的閱讀法，每個人的方法也不盡相同。如果比較我的串聯閱讀法和各位的串聯閱讀法，一定能找到彼此間些微的差異。

總而言之，希望各位參考各種閱讀方法，創造屬於自己的全新平台。我在書中已經提及了數次，許多讀遍圖書館藏書的閱讀天才都是這麼做的。

所謂閱讀，在多數情況下，等同於創造自己的未來。
——愛默生（Ralph Waldo Emerson），美國思想家、文學家

建構垂直式平台的閱讀大師

許多閱讀大師，會一次閱讀多個主題，以建構垂直式平台。

1. 以「金融」為主題建構投資平台的巴菲特。
2. 以「生命」為主題建構哲學平台的賀佛爾。

3. 以「商業」為主題建構行銷平台的美國行銷專家賽斯・高汀（Seth Godin）。
4. 以「商業」為主題建構金融平台的管理大師彼得・杜拉克。
5. 以「世界」為主題建構未來學平台的美國未來學者艾文・托佛勒（Alvin Toffler）。

建構整合式平台的閱讀大師

很多大師都是利用百科全書串聯多個主題，建構整合式平台（connect platform），成為人們口中的天才。

1. 微軟創辦人比爾・蓋茲。
2. IT 革命的標誌賈伯斯。
3. 天才工程師兼特斯拉執行長馬斯克。

建構跨域平台的發明家

發明家們透過大量閱讀，建構跨域平台（multi platform）。

1. 丁若鏞
2. 愛迪生
3. 班傑明・富蘭克林
4. 達文西

這些偉大的閱讀大師，不僅創造了自己的未來，也開創人類的未來。接下來輪到各位了，期待各位都能運用串聯閱讀法創造嶄新的平台，做為自身強大的武器，在無邊無際的書海中，平安抵達心中所想的目的地。祝各位好運！

采實文化　翻轉學

線上
讀者回函

韓國頂尖閱讀天才，
獨創革命式閱讀攻略，
幫你提升 10 倍閱讀力，
快速內化知識，
融會貫通、學以致用，
為自己的工作和人生加分！

https://bit.ly/37oKZEa

立即掃描 QR Code 或輸入上方網址，
連結采實文化線上讀者回函，
歡迎跟我們分享本書的任何心得與建議。
未來會不定期寄送書訊、活動消息，
並有機會免費參加抽獎活動。采實文化感謝您的支持 ☺

翻轉學 翻轉學系列 087

一次讀 10 本書的串聯閱讀法

韓國頂尖閱讀天才教你 10 倍高效的極速閱讀攻略，幫你創造財富、改變世界、扭轉命運

한번에 10 권 플랫폼 독서법 : 원하는 지식을 얻는 가장 빠른 방법

作　　者　金炳完（김병완）
譯　　者　林侑毅
封面設計　張天薪
內文排版　黃雅芬
責任編輯　黃韻璇
行銷企劃　陳豫萱・陳可錞
出版二部總編輯　林俊安

出 版 者　采實文化事業股份有限公司
業務發行　張世明・林踏欣・林坤蓉・王貞玉
國際版權　鄒欣穎・施維真
印務採購　曾玉霞
會計行政　王雅蕙・李韶婉・簡佩鈺
法律顧問　第一國際法律事務所　余淑杏律師
電子信箱　acme@acmebook.com.tw
采實官網　www.acmebook.com.tw
采實臉書　www.facebook.com/acmebook01

ISBN　978-986-507-852-2
定　　價　380 元
初版一刷　2022 年 7 月
劃撥帳號　50148859
劃撥戶名　采實文化事業股份有限公司
104 台北市中山區南京東路二段 95 號 9 樓
電話：(02)2511-9798　傳真：(02)2571-3298

國家圖書館出版品預行編目資料

一次讀 10 本書的串聯閱讀法：韓國頂尖閱讀天才教你 10 倍高效的極速閱讀攻略，幫你創造財富、改變世界、扭轉命運 / 金炳完（김병완）著 ; 林侑毅譯 . -- 初版 . – 台北市 : 采實文化 , 2022.07
256 面 ; 14.8×21 公分 .--（翻轉學系列 ; 87）
譯自 : 한번에 10 권 플랫폼 독서법 : 원하는 지식을 얻는 가장 빠른 방법
ISBN 978-986-507-852-2（平裝）
1.CST: 速讀 2.CST: 讀書法
019.1　111006462